［図解］

つなげてみれば超わかる 日本史×世界史

森村宗冬

彩図社

もくじ

はじめに

現代は世界のどこかで起こったことが、私たちの社会や生活に短時間で、ダイレクトに影響を及ぼす時代です。これは情報が瞬時に全世界に拡がり、全人類が共有し、移動手段の高速化により、大量の人と物資が世界を行き交うようになったことによります。

そう、世界は「連動」の時代へと移行し始めたのです。じつは古代から様々なかたちで、世界は連動しあってきました。気候変動による汎世界的な連動、ヨーロッパ人の東洋進出による連動、産業革命の進展による連動、日本が日露戦争に勝利したことによる連動……。ただ、「連動」に到るスパンが長いため、あまり取沙汰されることがなかったのです。

本書はこの「連動」に着目し、「世界のなかの日本」という観点に立ち、古代から近現代に到るまで、世界史との関連で日本史を語ったものです。

世界が急速に一体化しつつある今、「連動」という観点から歴史を俯瞰する習慣をつけておくことは有益です。トレーニング次第では、今現在に起こったできごとから、未来を予測することも可能になるでしょう。

本書はその入門書でもあるのです。

森村　宗冬

1章 人類の誕生と発展

6万年前

日本人はどこからやってきた？

人類の誕生と旅立ち、地球上への拡散から日本人のルーツを見てみます。

大型草食動物の流入

マンモス
ヘラジカ
ナウマンゾウ
オオツノジカ
野尻湖遺跡
現在の陸地
約２万年前の陸地（推定）
●ナウマンゾウの化石が出土した場所

野尻湖遺跡から発掘されたナウマンゾウの牙とオオツノジカの角の化石（写真：野尻湖発掘調査団提供）

ナウマンゾウを追ってきた人類

旧石器時代の海面は現在よりかなり低く、日本列島はほぼ大陸と陸続きでした。

このため多数の大型草食動物が、ユーラシア大陸から日本列島に流入しました。

これらの大型草食動物は、人類にとって貴重な食料であったことから、私たちの祖先もこれらの動物を追って、日本列島に流入しました。

つまり、**旧石器時代人が日本人のルーツになる**のです。

長野県上水内郡信濃町にある

左：約２万年前に描かれたラスコー洞窟の壁画（フランス）（©Jack Versloot）
右：約1.4万年前のメドウクロフト遺跡（アメリカ・ペンシルベニア州）（@Sue Ruth）

左：約７万7000年前の遺跡から出土した、図形が描かれた土塊（南アフリカ）（写真提供：AFP＝時事）　右：旧石器の遺跡から出土したナイフ型石器（日本）（wonderland / PIXTA）

野尻湖からはかつての、旧石器時代の日本人の暮らしぶりを語る遺物が発見されています。

アフリカが人類のルーツ

私たち現在の人類の祖先を**「新人」**と呼びます。誕生地はアフリカ。誕生時期については今も調査中です

６万年前、新人はアフリカ大陸から旅立ちます。人類学上でいう**「出アフリカ」**です。

彼らは定住と移住を繰り返しつつ、ゆっくり各大陸へと拡（ひろ）がり、その途中で環境の変化を受け、混血・融合を繰り返しました。

新人の南方アジア到達は５万年前のことです。この集団が東アジアへと北上し、ここからさらに日本列島に流入した新人の集団が、最初の日本列島居住者となったのです。

1.2万年前

世界で文明がおこったころ日本で巨大集落が誕生した

気候が寒冷から温暖に転じて住みやすくなると、日本列島は縄文時代に入ります。

集落で定住をしていた縄文人

縄文時代は約1万2000年前に始まり、約1万年続きました。

この時代に関しては長い間、「移住しつつ狩猟採取をしていた未開の時代」との見方が有力でしたが、近年になって、**初期から定住生活と原始的農耕を営んでいた**ことが分かりました。

集落間の交易もさかんでした。東京都北区の中里貝塚では、交易用の貝を作った水産加工場の遺構が見つかっています。

巨大集落も誕生しています。

黄河文明

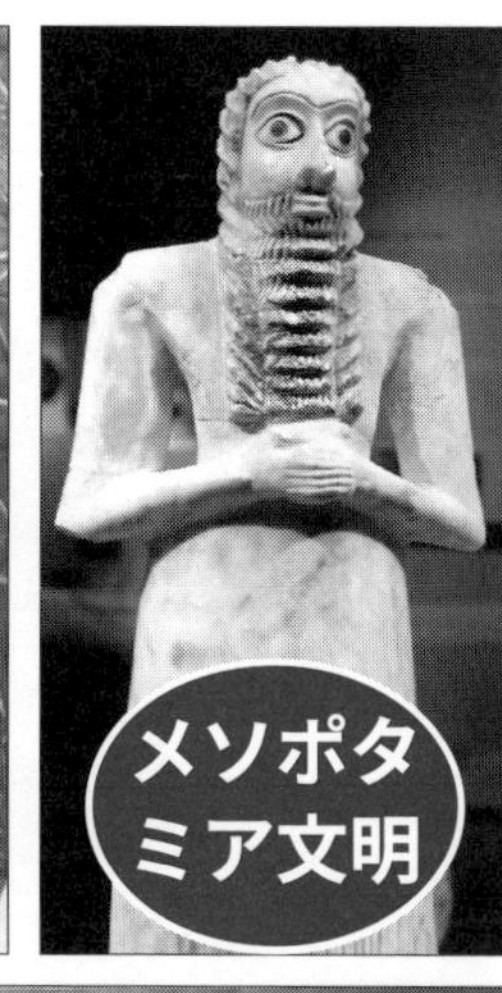

上列左から：動物の顔が描かれたつぼ（Prof. Gary Lee Todd@CC BY-SA 4.0）、メネス王を描いた石版、礼拝者の像（©Makthorpe /CC BY-SA 2.0）
右：クノッソス宮殿のイルカのフレスコ画（Armagnac-commons@CC BY-SA 2.5）
下：モヘンジョダロの住居跡（Comrogues@CC BY 2.0）

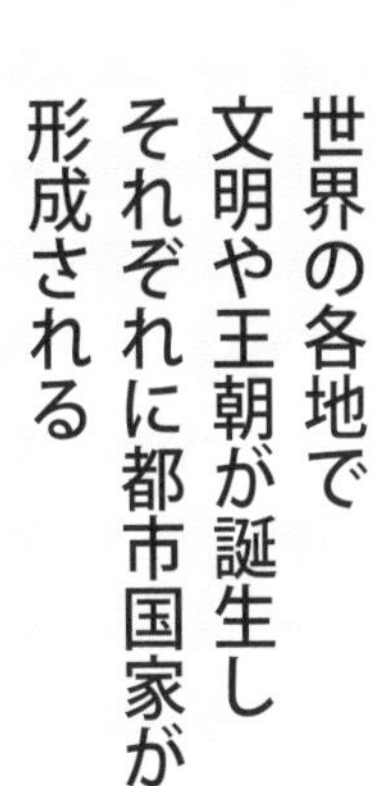

世界の各地で
文明や王朝が誕生し
それぞれに都市国家が
形成される

世界史

日本史

縄文人が定住を始め
食物を得て
豊かな生活を送り始める

日本で定住と地域間交流が始まる

右：東京都北区の中里貝塚で発見された厚さ4.5メートルの層（写真提供：北区飛鳥山博物館）
下：青森県の三内丸山遺跡の集落跡（ikeda_a / PIXTA）

青森市の三内丸山（さんないまるやま）遺跡は、その代表格です。高水準の文化が営まれたのは、気候の温暖化にともなって、生産性が向上したためにほかなりません。

古代文明が次々に誕生する

日本が縄文時代の最盛期にあったとき、世界各地でも生産性の向上にともなって古代文明が繁栄しています。

ナイル河畔のエジプト文明、ティグリス川とユーフラテス川の両河畔で繁栄したメソポタミア文明、インダス河畔にあったインダス文明、中国の黄河文明、ギリシアのクレタ文明です。

この5つの文明は**「定住」「都市」「地域間交易」「農耕」**の4点で共通しています。

日本の縄文時代も規模こそ異なりますが、この点で世界の古代文明と共通しているのです。

約3500年前

異質な文明が融合して縄文文化が形成された

南北の文化が日本列島内で融合したことにより、縄文文化が形成されました。

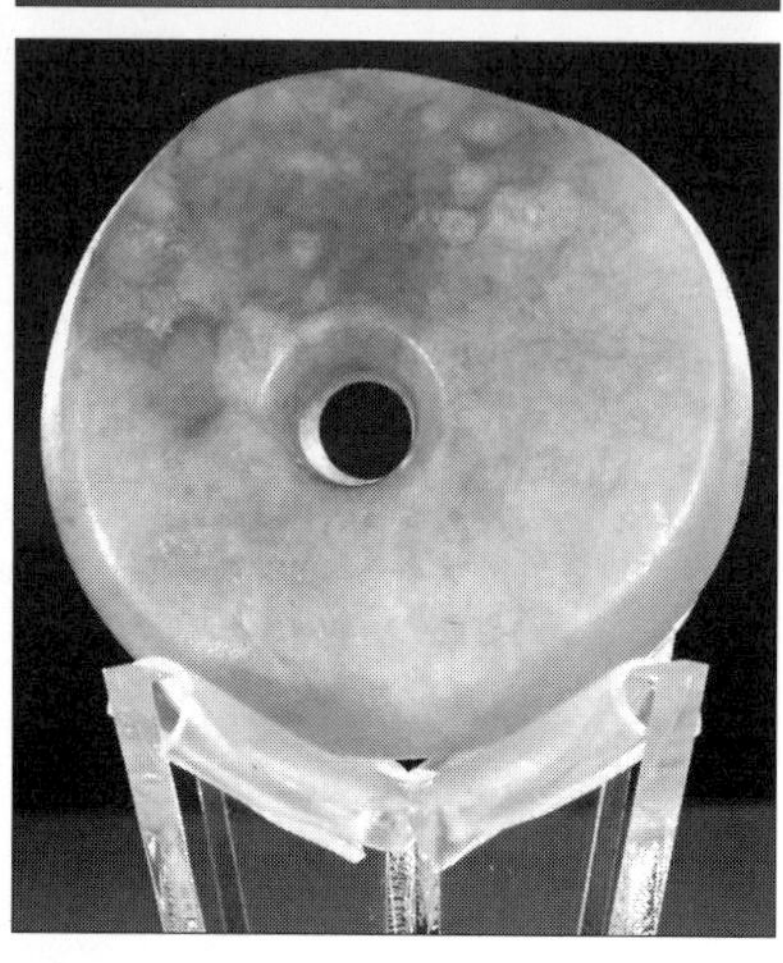

右：長江文明のヒスイ
右下：三内丸山遺跡から出土した縄文時代のヒスイ（©右：Editor at Large/右下：あおもりくま/ CC BY-SA 3.0）
下：千葉県の雷下遺跡から出土した縄文時代早期の丸木舟。約7500年前のものと推定される。（写真提供：千葉県教育振興財団・時事）

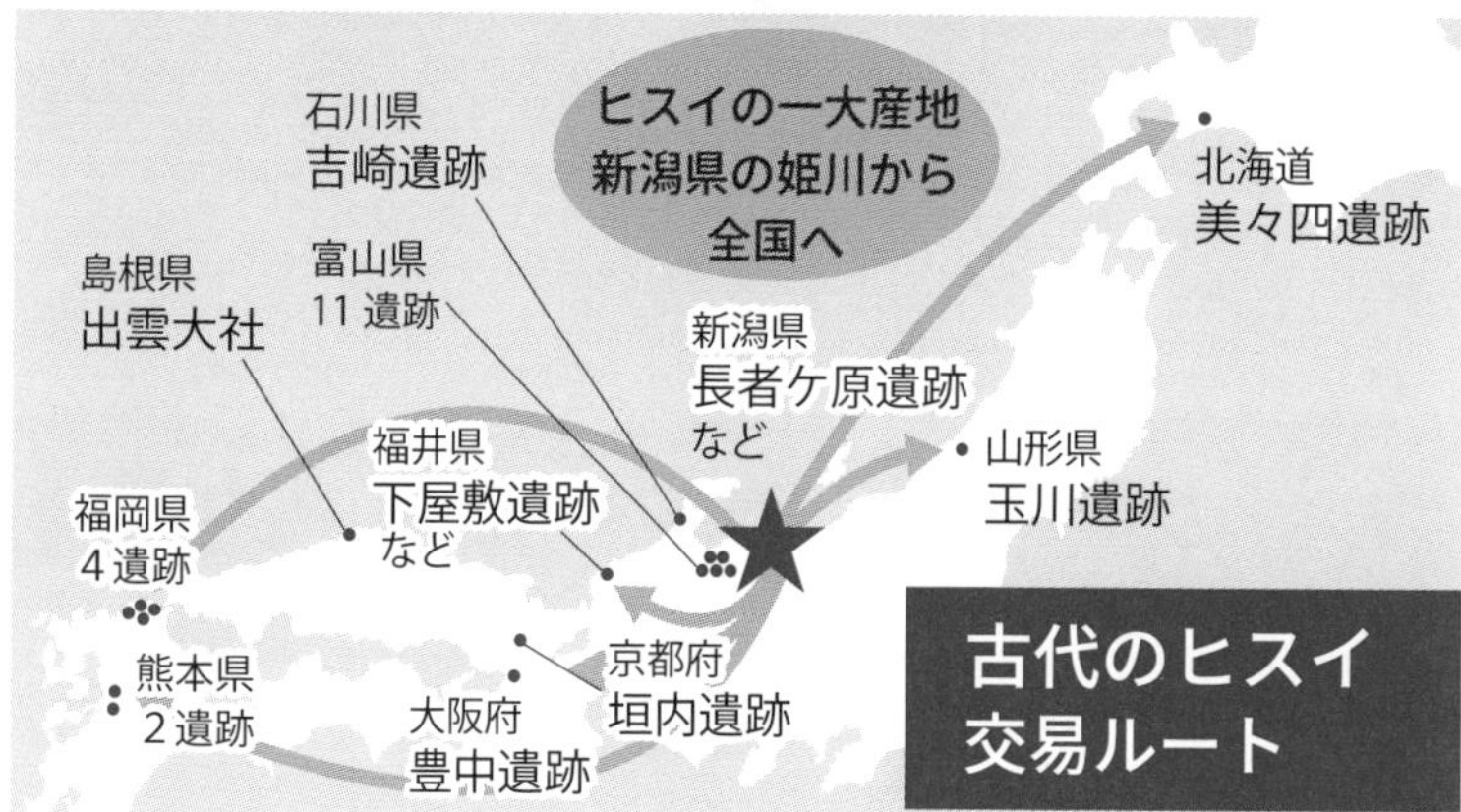

縄文人のヒスイ加工と交易

ヒスイは宝石の一種です。日本列島各地で採れますが、もっとも見栄えがするのは、新潟県西端から富山県東端で採れるものでした。

縄文時代にこのヒスイは、日本列島の各地に運ばれ、アクセサリーとして加工されました。

縄文人がヒスイの加工にこだわったのは、中国大陸南方に栄えた**長江文明の影響**です。

卓越した航海術を有する縄文人は、さかんに海外と交流し、**文化を吸収**してきました。

各地で誕生した文明によって文化・技術が発展する

世界史

日本史

長江文明や北方・南方文化などの融合によって縄文文化がつくられる

バラバラになった状態で発見された土偶（写真提供：山梨県釈迦堂遺跡博物館）
南洋世界には女神の死から作物が生えたとする神話が点在している。これをハイヌウェレ型神話という。土偶は女神をかたどった姿態のため、同神話との関連性が指摘される。

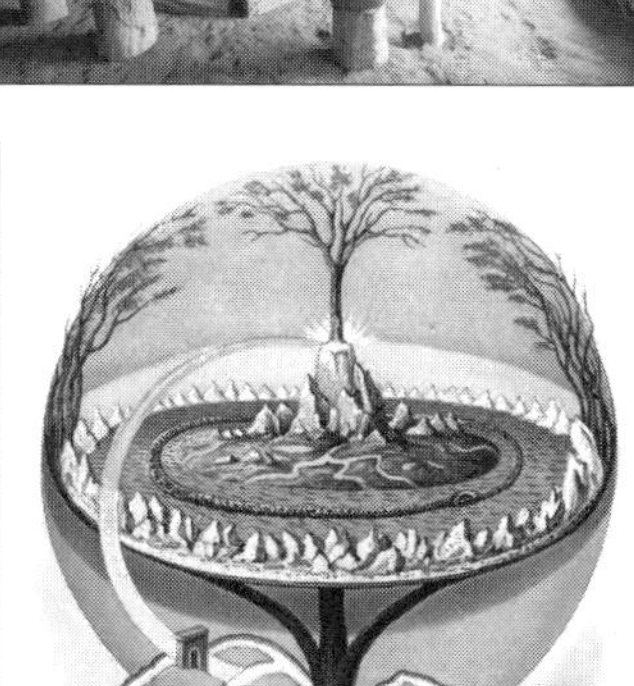

左：縄文時代の火焔式土器
右：竪穴式住居内部は半地下構造になっている（写真は復元）

左：三内丸山遺跡の掘立柱（復元）（©663 highland/CC BY-SA 3.0）
右：北方神話では、ユグドラシルと呼ばれる世界樹が9つの世界をつらぬいているとされる。

縄文人は長江文明の玉器加工の美しさに魅せられ、ヒスイ加工を始めたのです。

遺物や遺構が語る文明の融合

縄文遺跡からはしばしば、土偶が故意に壊されたかたちで見つかりますが、これは**南洋世界の神話との関係**があります。**北方世界の影響**も見られます。たとえば深鉢形の縄文土器は、保温の良さと過熱のしやすさからこのかたちになった点で寒冷地にふさわしいかたちですし、半地下構造の竪穴式住居も、寒冷地仕様の住居になります。

掘立柱（ほったてばしら）遺構は、**北方世界特有の巨木信仰（トーテムポールの類）との関連**が指摘されています。

いずれにしても縄文文化は、南北の異質な文明が融合して、成立しているのです。

約3500年前

急激な寒冷期によって日本に稲が伝来した

稲作は、中国大陸からもたらされた、舶来にして最新式の食料生産技術でした。

下：福岡市の板付遺跡からは整備された水田の跡が発見された。（くにさん/PIXTA）

縄文時代に始まっていた稲作

縄文時代のあと日本列島は「弥生時代」に移行します。稲作が日本列島に普及した時代です。

米を実らせる稲は日本列島には自生していません。つまり、人がもたらした外来作物です。

日本列島に流入した稲は、水稲耕作に適した**「温帯ジャポニカ」**という品種でした。

温帯ジャポニカによる水稲耕作は従来、「弥生時代に始まった」との見方が定説化していました。

しかし、近年の発掘調査で、

世界史

中国大陸の江南地方で稲作が始まり同時期に急激に世界が寒冷化する

日本史

中国から水稲耕作が伝わり日本で広く伝わる

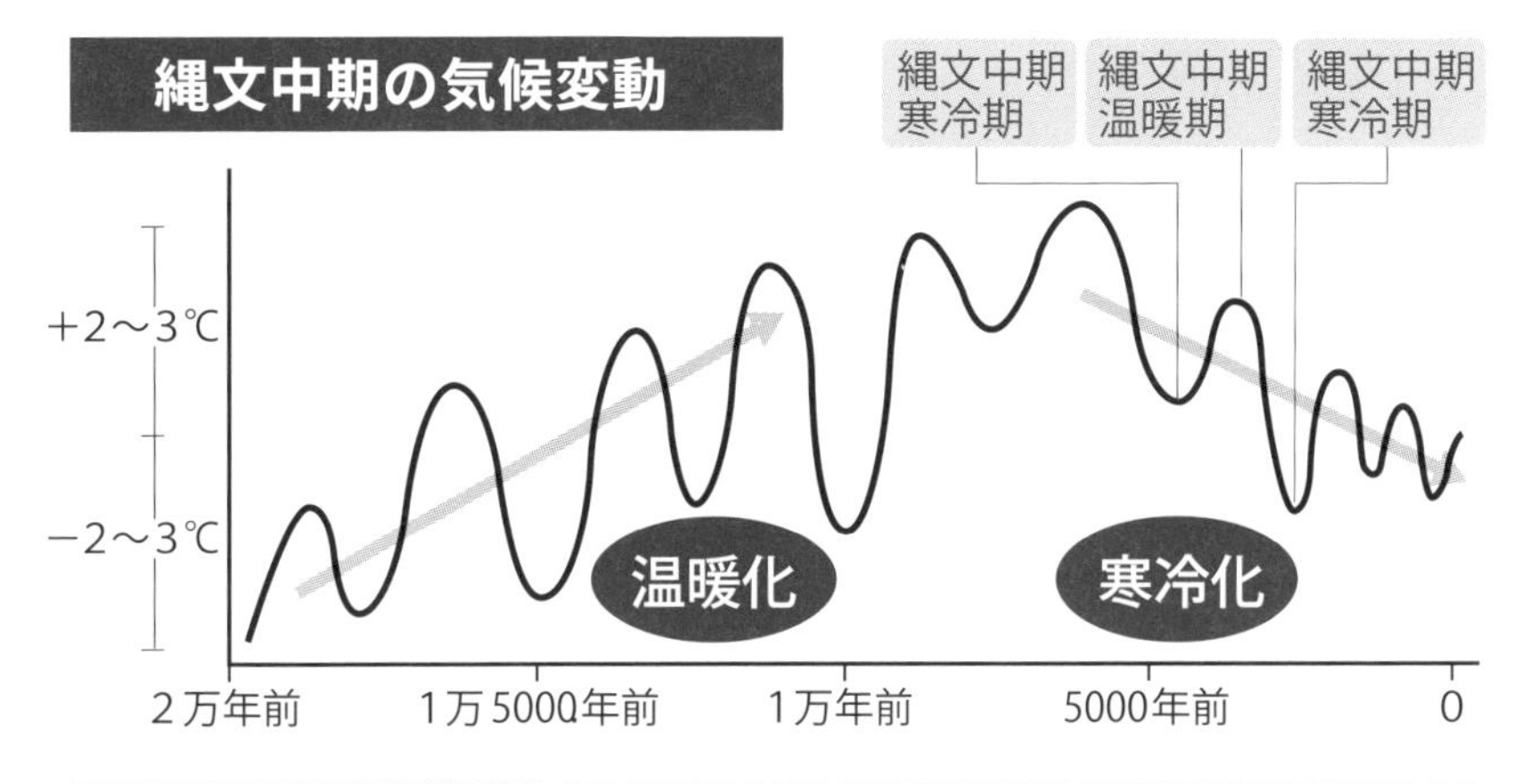

稲作に合わせて進化した「弥生土器」(Ismoon@CC BY-SA 2.0)

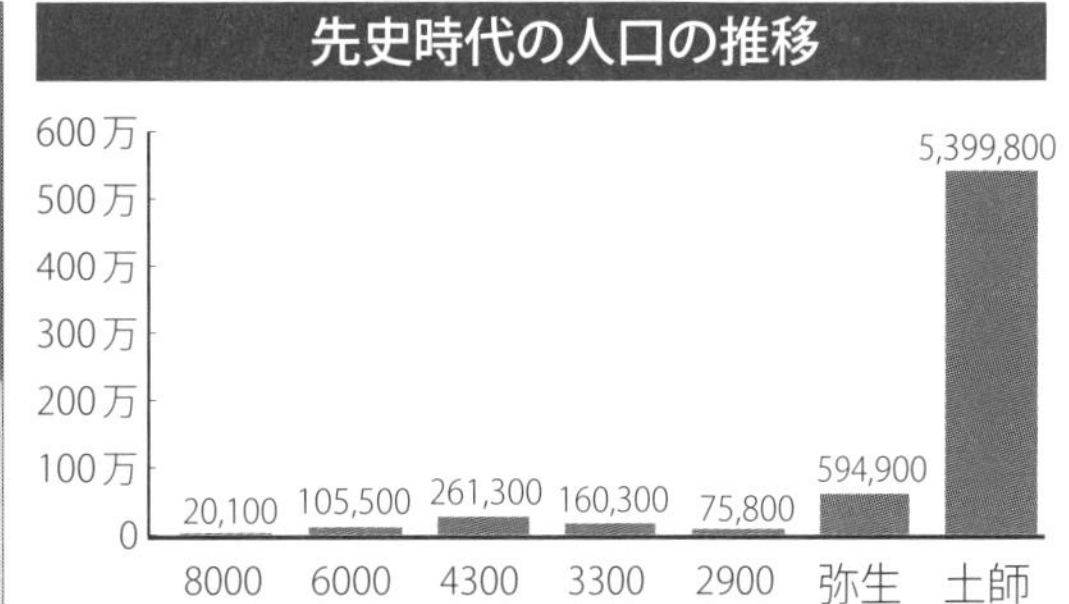

(『逆転の日本史 日本人のルーツ ここまでわかった!』(洋泉社)「後氷期(完新世)の気候変動と文明の盛衰」をもとに作成)

寒冷化の影響

左:紀元前5世紀頃から活動を始めた匈奴の騎馬文化を伝える金の像(タジキスタン出土)
右:ローマ帝国内のアッピア旧街道に残る戦車のわだち

縄文時代晩期の約3500年前には、北部九州で開始されたことが判明しました。

寒冷による世界的混乱

狩猟採取と原始的農耕を営んでいた縄文人が、外来作物の稲を受け入れた背景には、**気候の急激な寒冷化**がありました。

気候は寒冷と温暖を繰り返しつつ、徐々に寒冷化に転じていますが、縄文時代晩期に急激に冷え込みます。

これにより**日本列島の環境は激変**し、従来の生活スタイルでは対応できなくなりました。このため縄文人は稲の受容に踏み切ったのです。

この急激な気候寒冷化は地球規模でした。これにより先のページで紹介した世界の古代5文明も崩壊してしまい、世界は混乱の時代へと突入していくのです。

紀元前2世紀

始皇帝から逃れた人々で日本の人口が増えた

弥生時代の主な担い手となった「弥生人」は、中国大陸からの移民でした。

世界中で争いが勃発する

右：共和政ローマとカルタゴの間に起こったポエニ戦争中にアルプスを超えるハンニバルの姿。
下：メソポタミア地方では、エジプトとヒッタイトが抗争を繰り広げた。

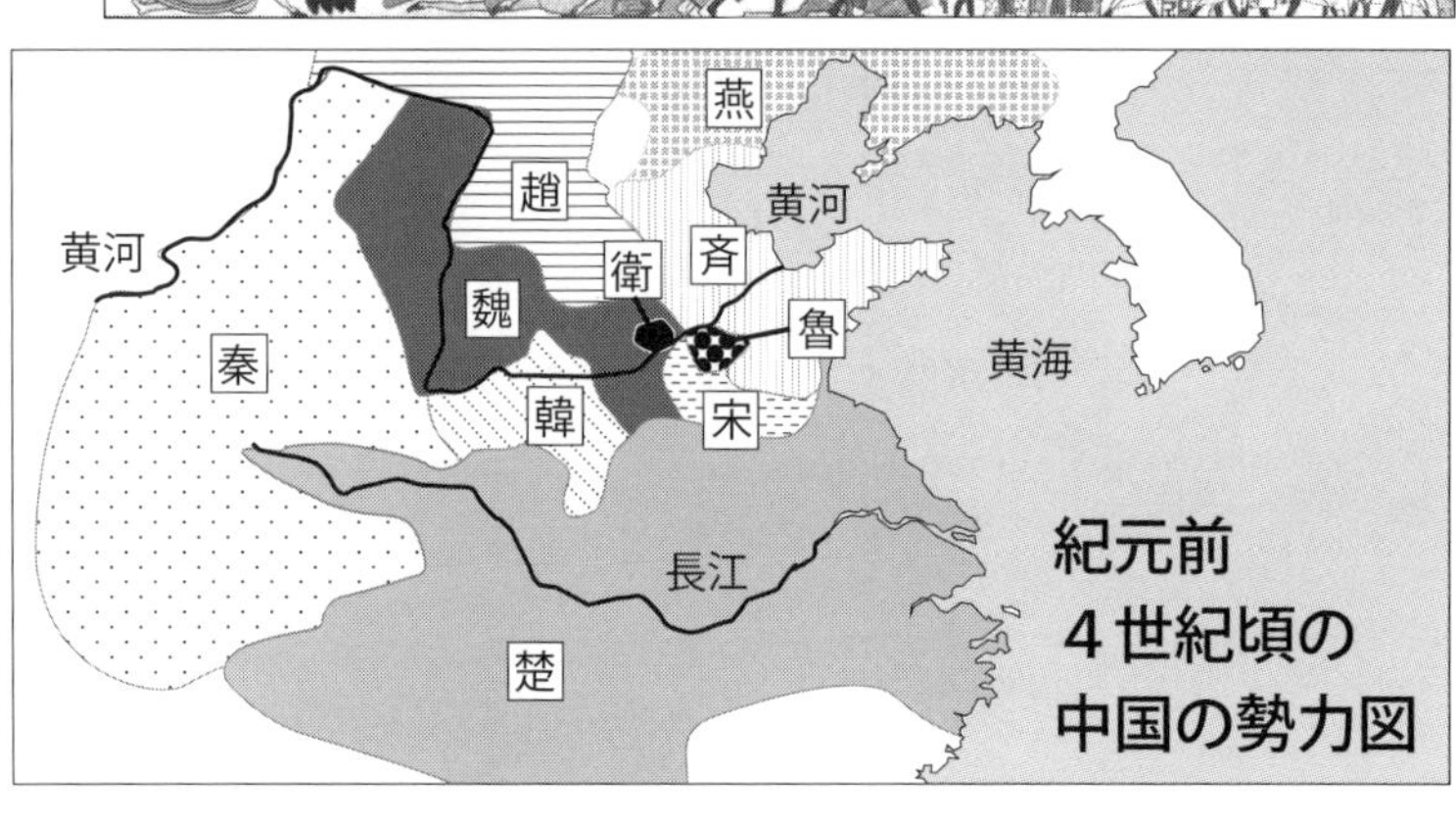

紀元前4世紀頃の中国の勢力図

気候寒冷化による世界的混乱

気候の寒冷化によって生産性が衰えたことで人類は、広い土地や生産性に優れた土地への移動を余儀なくされます。

これにより**世界的規模で民族大移動が発生**します。民族同士がぶつかりあって、**各地で戦乱が勃発**するのです。

中国大陸も動乱期に突入しました。殷王朝滅亡後、周王朝が興り、同王朝の衰亡に伴って、春秋戦国時代へと入ります。

この混乱は**始皇帝**の登場によって収束します。

世界史

秦の始皇帝の圧政により苦しんだ人々が移住をはかる

左：始皇帝
下：始皇帝が行った「焚書坑儒」。左下では本が焼かれ、右下では学者が穴に埋められている。

日本史

大陸からの移住者を受け入れて人口が激増する

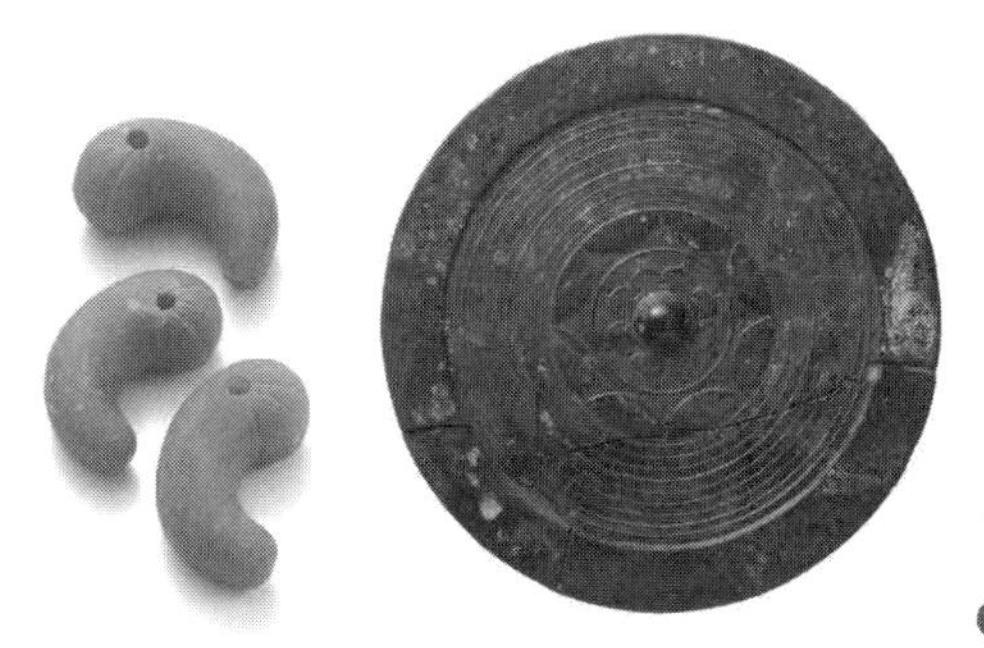
平原方形周溝墓から出土した
・ガラスの勾玉
・内行花文鏡
・素環頭大刀
（画像提供：伊都国歴史博物館）
銅鏡は直径46・5センチ。日本で最大の銅鏡になる。

平原方形周溝墓
平原遺跡は北部九州にあった「伊都国」の中心と推定されている。写真は「平原1号墓」と呼ばれており、被葬者は女王と考えられている。

弥生初期に激増した人口

しかし、始皇帝の圧政はすさまじく、中国の人々には耐えがたいものでした。

この圧政から逃れたい人々に手を差し伸べたのが、西日本にいる縄文人たちでした。

大陸の人々は誘われるままに、または自発的に**日本列島という新天地を目指す**のです。

日本列島ではこの当時、寒冷化によって人口が激減していました。縄文人は停滞する社会に活力を取り戻すという目的もあって、大陸からの移住者を募ったのです。

縄文時代晩期、日本列島では人口が激減しますが、弥生時代初期に入ると激増したことが分かっています。この人々によって水稲耕作が本格的に日本列島にもたらされ、弥生時代が始まるのです。

世界と日本の大まかな流れ①

世界史		日本史
ホモ・ハビリスが出現	約230万年前	
ホモ・サピエンスが出現	約15〜10万年前	
「出アフリカ」	約６万年前	
人類の祖先が南方アジアに到達	約５万年前	
		旧石器時代
ラスコーなどの洞窟画が描かれる	約２万年前	
		縄文時代の始まり
ヤンガードリアス寒冷期		ヤンガードリアス寒冷期
	約１万年前	
長江文明・エジプト文明がおこる	約5000年前	三内丸山に大規模集落ができる
メソポタミア文明がおこる		
ハンムラビ法典の発布		
中国に「殷」がおこる		
	紀元前1500年頃	
中国に「周」がおこる		亀ヶ岡文化が栄える
ギリシャで都市国家が形成される	紀元前1000年頃	
アナトリア半島にヒッタイト王国がおこる		
周が犬戎に侵攻される		
中国で春秋戦国時代が始まる		
	紀元前500年頃	
パルテノン神殿が完成する		環濠集落が出現する
		弥生時代の始まり
		水稲耕作が本格的に始まる
		吉野ヶ里に環濠集落が出現する
アレクサンダー大王が東方遠征に出発する		
秦の始皇帝が中国を統一する		
		大陸からの移住者流入が始まる
中国に「漢」がおこる		
『史記』が成立する	紀元０年	

2章
世界の文明の発展と日本の国際デビュー

1世紀

世界にデビューした日本

弥生時代に入ったあたりから日本列島は、東アジア世界で注目を集め始めます。

紀元0年前後の世界の勢力

地域	勢力	
日本	弥生時代	
中国	前漢	新
朝鮮	衛氏朝鮮	
アジア	匈奴	
	大月氏国	
	パルティア王国	
インド	パーンディヤ朝	
	アーンドラ朝	
ヨーロッパ	ゲルマニア	
	共和制ローマ	
エジプト	プトレマイオス朝	

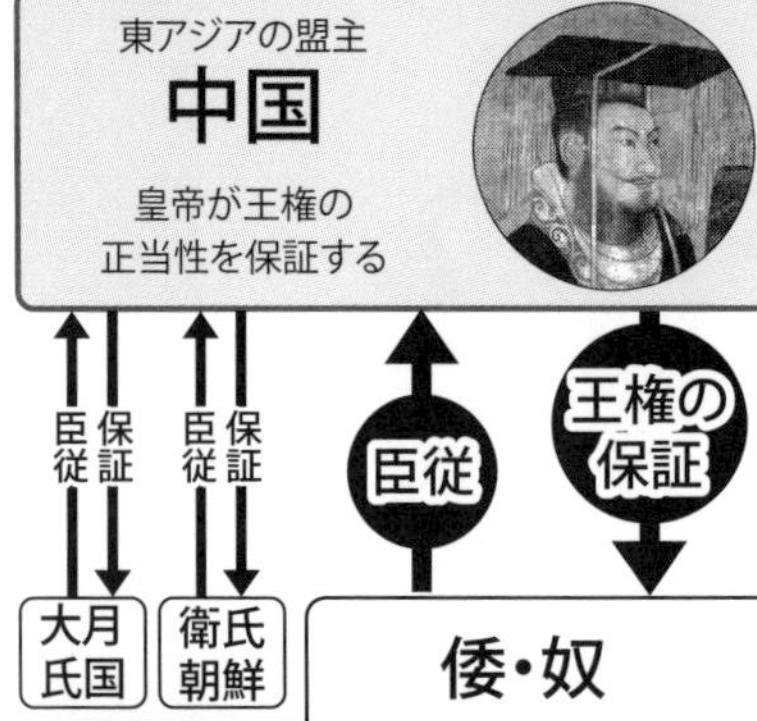

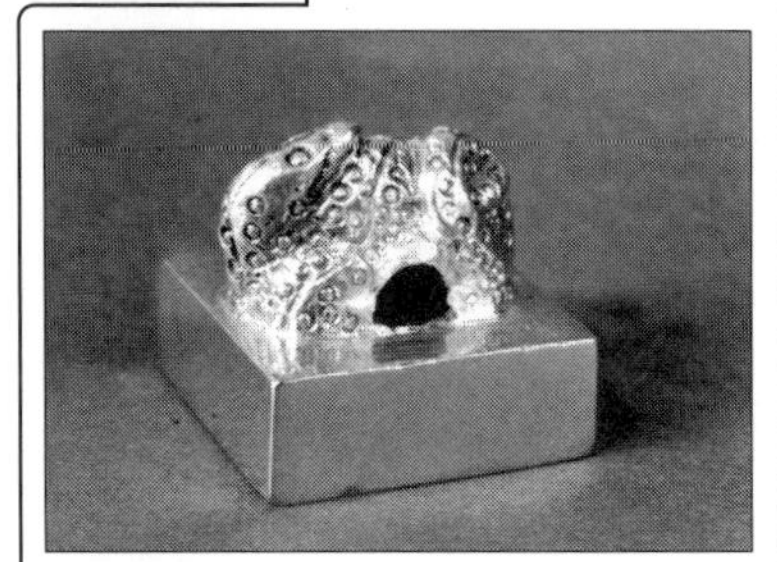

光武帝が与えた「漢委奴国王」の金印
（写真提供：毎日新聞社/時事通信フォト）

中国の歴史書に書かれた日本

弥生時代の日本について記された最古の歴史書は、後漢王朝（25～220）期に成立した『漢書』という地理誌です。

ここには、当時の日本には100余の国があり、倭人（当時の日本列島住人に対する呼称）がしばしば、中国皇帝に拝謁を願い出ている旨が記されています。

これは中国王朝の**冊封体制下**に入るためです。

中国王朝は昔から東アジアの盟主的な国でした。この王朝を統べる中国皇帝に臣従を誓うことで、みずからの王権の正統性を保証してもらうのです。

『後漢書』東夷伝には、後漢の初代皇帝・光武帝が、倭の最南端にある奴国の王に印綬を与えた旨が記されています。

江戸時代の1784年に発見された「漢委奴国王」の金印は、この印綬と考えられています。古代日本が世界にデビューした証の品といえるでしょう。

ところで、弥生時代の集落は例外なく防衛用の堀**「環濠」**で囲まれています。この集落スタイルは弥生時代開始とほぼ同時

漢の皇帝が倭国の王に金印を与える

世界史

日本史

中国の冊封体制下に入ることで世界デビューを果たす

吉野ヶ里遺跡の、外部からの敵を防ぐための堀の跡（©小池隆）

「魏志倭人伝」中にある邪馬台国の記述。枠の中に「邪馬台国」「女王」の文字がある。（国会図書館所蔵）

下：邪馬台国の候補地のひとつである奈良県桜井市の纒向遺跡。柱の跡から大きな建造物が存在したことが分かる。

期に大陸から伝わりました。

日本史上、防衛用の堀で囲まれた集落が登場するのは、弥生時代と、戦国時代初期に政治の中心であった近畿地方においてのみです。弥生時代がいかに**軍事的緊張**をはらんだ時代であったか察しがつきます。

戦乱の弥生時代

これは弥生時代の**温暖期**による水稲耕作の本格化で、生産性が向上し、国力が増した結果、**国同士が侵略戦争を始めた**ことによります。温暖化は地球規模だったため、同様のことは世界各地で発生し、統一国家の誕生を促すのです。

弥生時代末期の日本では、統一国家ではなく、広域政治連合というかたちが採られます。こうした広域政治連合のひとつに、邪馬台国を盟主とした**「邪馬台国連合」**がありました。

5世紀

渡来文化を取捨選択して日本人の特性が作られた

古墳時代は、現在につながる日本人の特性を完成させた点で、特別な時代でした。

渡来人と文化の流入

「邪馬台国連合」とは女王・卑弥呼をトップとする邪馬台国を盟主にすえた**広域政治連合**です。

こうした政治的集団は、畿内大和、丹後半島、東海地方など、日本各地にありました。３世紀初頭のことです。

この時期から7世紀初頭の推古天皇の御代までを「古墳時代」と呼んでいます。

この古墳時代には、大陸や朝鮮半島の人々が数多く、動乱を避けて日本にやってきました。これを**「渡来人」**と呼んでいます。

文化をたずさえて海を渡った渡来人

百済から来た 王仁

『古事記』『日本書紀』に書かれた伝承上の人物。文字や『論語』を伝えたといわれる

王仁(『前賢故實』より)

大阪府枚方市にある王仁のものと伝えられる墓

百済から来たとされる 弓月君

養蚕・機織りを伝えたといわれる

「秦」氏の祖ともいわれる

出自不明 阿知使主

文書や記録を作成する「史部(ふひとべ)」を管理したといわれる

阿知使主(『前賢故實』より)

動乱が続いた中国大陸

4世紀後半(東晋時代)

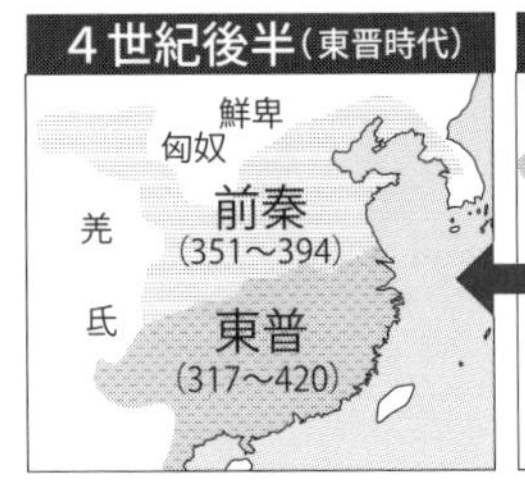

4世紀初頭(五胡十六国)

3世紀後半(3国時代)

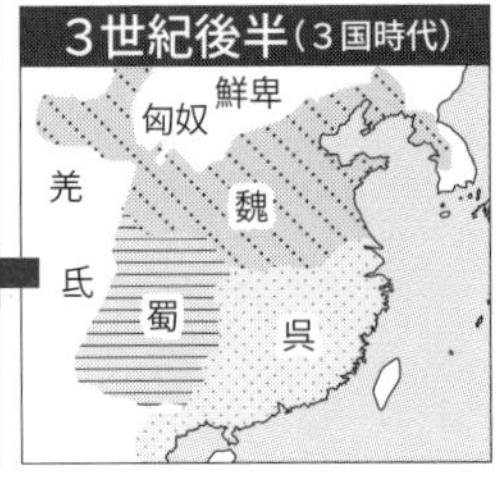

定着した文化と消えた文化

世界史

中国大陸や朝鮮半島から人々が日本に渡り根を下ろす

日本史

渡来人の受け入れとともに大陸の先進技術を導入する

埼玉県の稲荷山古墳から埋葬品として出土した「金錯銘鉄剣」。剣身に金象嵌で銘文が刻まれている。（写真提供：埼玉県立さきたま史跡の博物館）

「辛亥年」（西暦471年）に
「ヲワケ（またはヲワケコ）の臣」という人物が
「杖刀人首」（武装官僚のトップ）として
「ワカタケル大王」（雄略天皇）に仕えた
と書かれている

漢字 → 定着

宦官制度 → 消滅

1944年に撮影された宦官
（写真提供：Avalon/時事通信フォト）

宦官とは…
去勢したうえで宮廷に入った官僚のこと。縁故も教育もない成人男性が政治の中枢に関わるには、宦官になるしか道がなかった。政治腐敗の要因となることが多かったが、「必要悪」として認められており、20世紀まで存続した。

著名なところでは、応神天皇の御代に渡来した弓月君（ゆづきのきみ）、阿知使主（あちのおみ）、王仁（わに）がいます。

このほかにも多くの渡来人がやってきました。日本は彼らを積極的に受け入れると同時に、彼らのもたらす**大陸の先進的知識・技術を吸収**します。

これにより文化水準もあがり、東アジアの新興国として、急速に存在感を増していくのです。

取捨選択して日本化する

ただ、古代日本はすべてを受け入れたのではありません。「宦官（かんがん）」を不採用にするなど、取捨選択をして受容。受け入れた文化・技術も、いつしか**「日本化」**させてしまいました。

現在も日本人の特性として、外来文化の融合と日本化が指摘されますが、これは古墳時代には完成していたのです。

5世紀

巨大古墳の造営で力をアピールした倭国の王

中国の歴史書から姿を消しているあいだ、日本ではヤマト政権が勢力を伸ばしました。

大仙陵古墳（伝仁徳天皇陵）（©国土画像情報（カラー空中写真）国土交通省）

記録に残る5人の倭の王

卑弥呼の死後、邪馬台国女王の座は、血縁者にあたる台与（壱与）に託されます。

この台与が西晋王朝（265～316年）に使者を派遣した旨の記述を最後に、中国の歴史書からいったん、日本列島に関する記述は消えます。

日本に関する記述がふたたび現れるのは147年後、倭王・讃なる人物が東晋王朝に使者を派遣した際です。

このあと4人の王が、中国王朝に使者を派遣したことが、中国の史書で確認できます。これを日本史上**「倭の五王」**と呼びます。

「倭の五王」は天皇家のルーツとなるヤマト政権の5人の首長。彼らが中国王朝に使者を派遣したのは、弥生時代の各国王同様、中国皇帝の権威でみずからの王権を保証してもらうためです。

もっとも、彼らはただ中国皇帝の威光にすがっていたわけではありません。自身の権力の強大さを積極的にアピールするモニュメントも築いていました。

河内平野に造営された**巨大古**

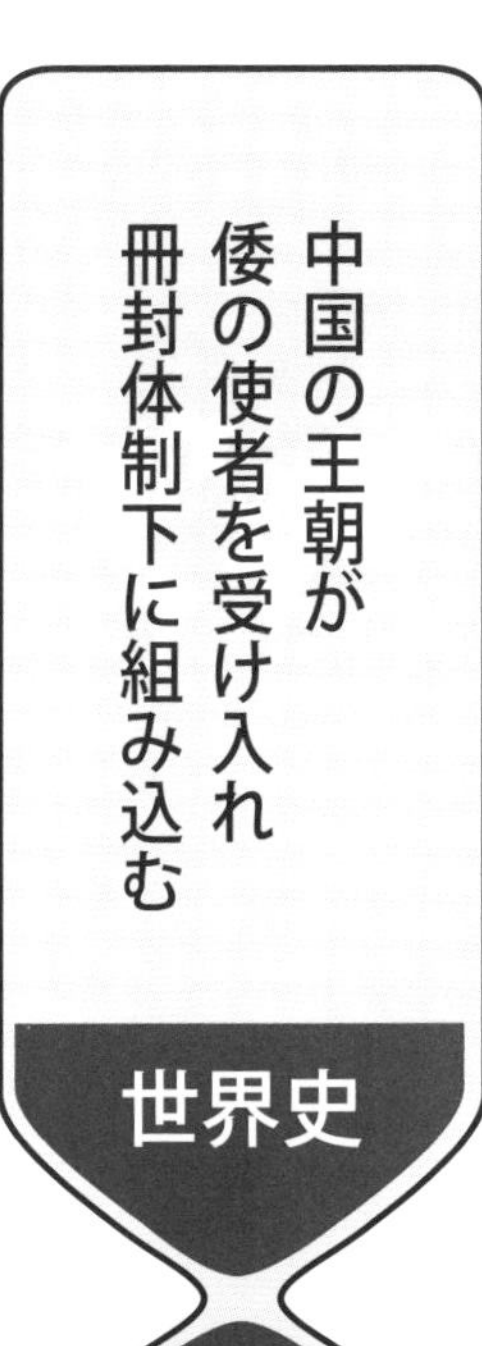

世界史

中国の王朝が
倭の使者を受け入れ
冊封体制下に組み込む

日本史

巨大古墳の造営を
することにより
大陸の人々に
力をアピールする

「倭の五王」と天皇の対比（推定）

倭王・讃	倭王・珍	倭王・済	倭王・興	倭王・武
仁徳or履中天皇（313-405）	反正天皇（406-410）	允恭天皇（412-453）	安康天皇（453-456）	雄略天皇（456-479）

中国王朝に使者を派遣

東晋を
建てた元帝

東晋
（317-420）

五胡十六国（304-439）

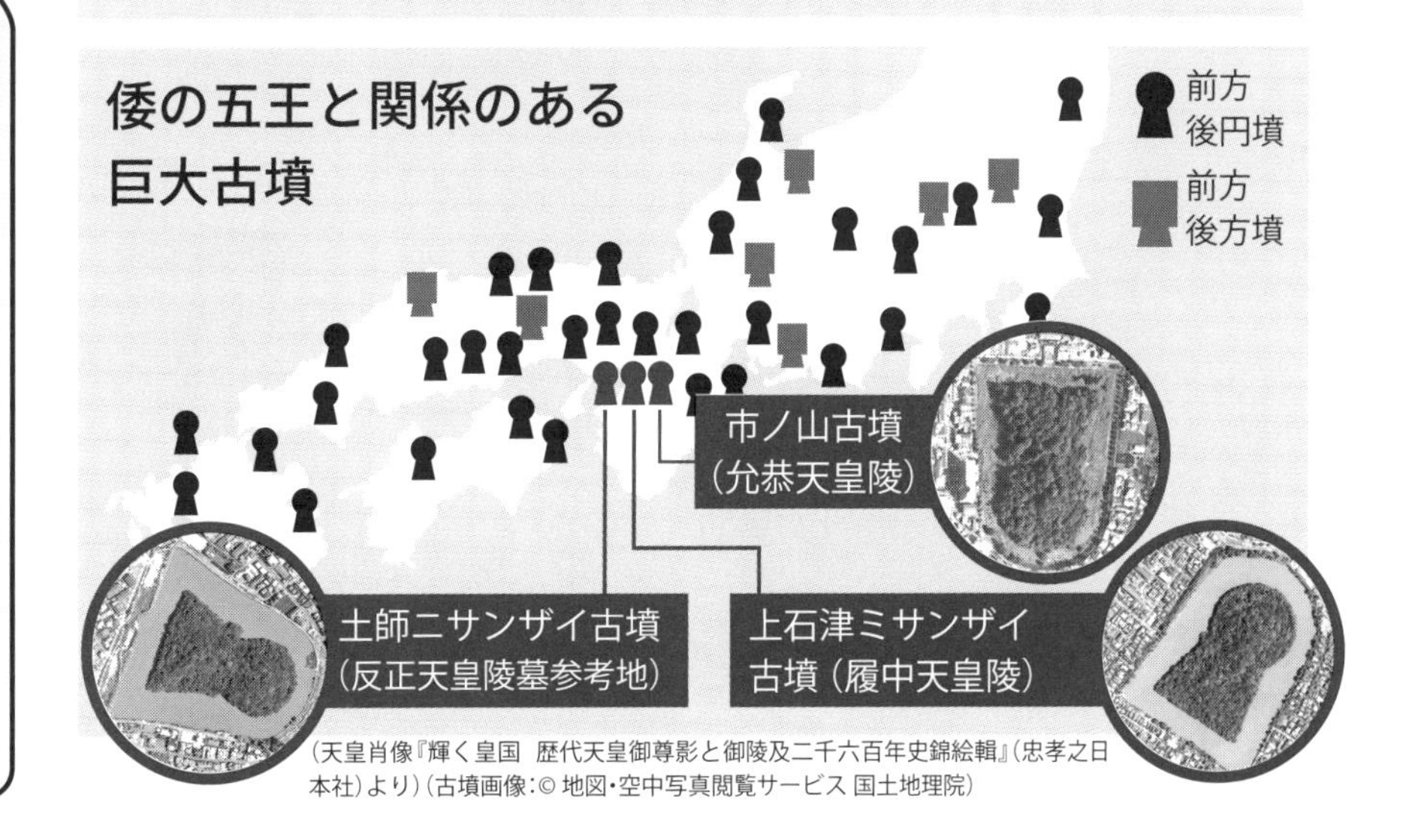

（天皇肖像『輝く皇国　歴代天皇御尊影と御陵及二千六百年史錦絵輯』（忠孝之日本社）より）（古墳画像：© 地図・空中写真閲覧サービス 国土地理院）

墳の数々がそれです。

人目に入る所に古墳をつくる

2019年、百舌鳥古墳群と古市古墳群が、大阪府初の世界遺産に登録されました。

このうち3つの巨大古墳が倭の五王と関係があります。

巨大古墳は現在でこそ、樹木がうっそうと茂っていますが、造られた当初は石で葺かれており、陽光を浴びつつ燦然と輝いていました。

河内平野の手前に広がる大阪湾は、当時の外交の玄関口に当たります。はるばる大陸から来た外国使節は巨大古墳を目の当たりにして、度肝を抜かれたに違いありません。

巨大古墳は**倭国の威信を対外的にアピール**するため造られました。倭国王たちのプライドと、国際戦略を今に物語るのです。

6世紀

仏教で中国に対抗した古代日本

ヤマト政権は外来宗教たる仏教が伝わると、国をあげて受容を推進しました。

中東の人々を思わせる顔立ちをした「仏陀直立像」。現在のパキスタンのガンダーラ地方で栄えた。

仏教の伝播

モンゴル
ガンダーラ
中国
チベット
日本
インド
アンコールワット
ボロブドゥール

日本が仏教を受け入れた3つの理由

古墳時代は日本が仏教を受け入れた時代です。「八百万（やおよろず）の神々」という固有の神信仰があるのに、古代インド発祥の外来宗教を受け入れたのは、複数の理由がありました。

1つは仏教が**当時、東アジア最先端の思想としてスタンダードになっていた点**です。仏教を受容しないと、東アジア世界で孤立する危険がありました。

2つ目は技術です。最先端の思想には、最先端の技術がつきものです。寺院建立、仏像造立、紙墨、絵具……。

また、仏僧はそうした先進技術のプロフェッショナルでした。つまり、仏教受容は**大陸の先進技術の受容**に直結したのです。

3つ目は中国王朝を意識してのことです。

中国王朝は古来、超大国として東アジアに君臨してきました。古代日本も当初は、中国王朝に臣従していましたが、ヤマト政権の欽明朝のあたりから、中国王朝と肩を並べる存在になるべく、模索を始めます。

しかし、中国古来の「中華思

世界史

古代インドで誕生した仏教が中国・朝鮮半島を経て日本に伝来する

日本史

仏教を取り入れることで中華思想に対抗し世界の中心を目指す

左上：東大寺の大仏
左：大仏の開眼供養会の様子。大仏建立は一大プロジェクトで、開眼供養会には仏教界のエリートたちが集まった。（『東大寺大仏縁起絵巻』より）
上：法隆寺の五重塔（papa88 /PIXTA）

想」が悩みの種でした。これは「自分たちは世界の中心で文明国。周辺は野蛮な未開国」とする思想です。

この中華思想の枠内にある限り、中国王朝と肩を並べることは無理な話です。

国家として成り立つためには、中華思想に勝るとも劣らないスケールの土俵が必要でした。このときに伝わったのが、仏教でした。

仏教によって世界の中心を目指す

ヤマト政権首脳にとって仏教が魅力的だったのは、古代インド発祥という点と、東アジアのグローバルスタンダードという点の2つです。

中国とは無関係なうえに、中国でも幅広く信仰を集めているので、スケールも中華思想に勝るとも劣りません。

これは、古代日本が東アジア最大の仏教国になれば、仏教という枠組において、**中国王朝と対等な存在になれる**ことを意味していました。

中華思想という土俵では周辺諸国にすぎなくとも、仏教という土俵に立てば、中国王朝を周辺諸国に組み込めるのです。

ヤマト政権は、古代日本を世界の中心とするため、仏教の積極的受容に舵を切りました。

なお、奈良時代の東大寺大仏造立（ぞうりゅう）は、この政策の仕上げともいうべき、東アジア最大の仏教イベントでした。

7世紀

白村江での敗戦が日本を律令国家に変えた

日本は3度の敗戦を経験しています。その最初が白村江での敗戦でした。

律令国家づくりを推し進めた天皇。左から斉明（皇極）天皇、天智天皇（中大兄皇子）、天武天皇　下：乙巳の変で蘇我入鹿が首をはねられるシーン（『多武峯縁起絵巻』より）

新しい国家づくり

孝徳天皇

中央集権

法が基本

皇太子

中大兄皇子

左大臣　阿倍内麻呂

右大臣　蘇我倉山田石川麻呂

内臣　中臣鎌足

国博士　高向玄理

法律が未整備だった日本

古代日本は長らく、地縁・血縁を主体とした有力豪族連合ともいうべき政治スタイルをとっていました。

ところが、中国大陸での隋帝国滅亡と唐帝国樹立に加え、これを受けての朝鮮半島情勢緊迫という事態を受け、政治スタイルの刷新を余儀なくされます。

こうしたなか**「乙巳（いっし）の変」**によって最高実力者の蘇我氏が排除され、**大化の改新**が断行され、中央集権化が推進されます。

しかし、そう簡単に国のあり

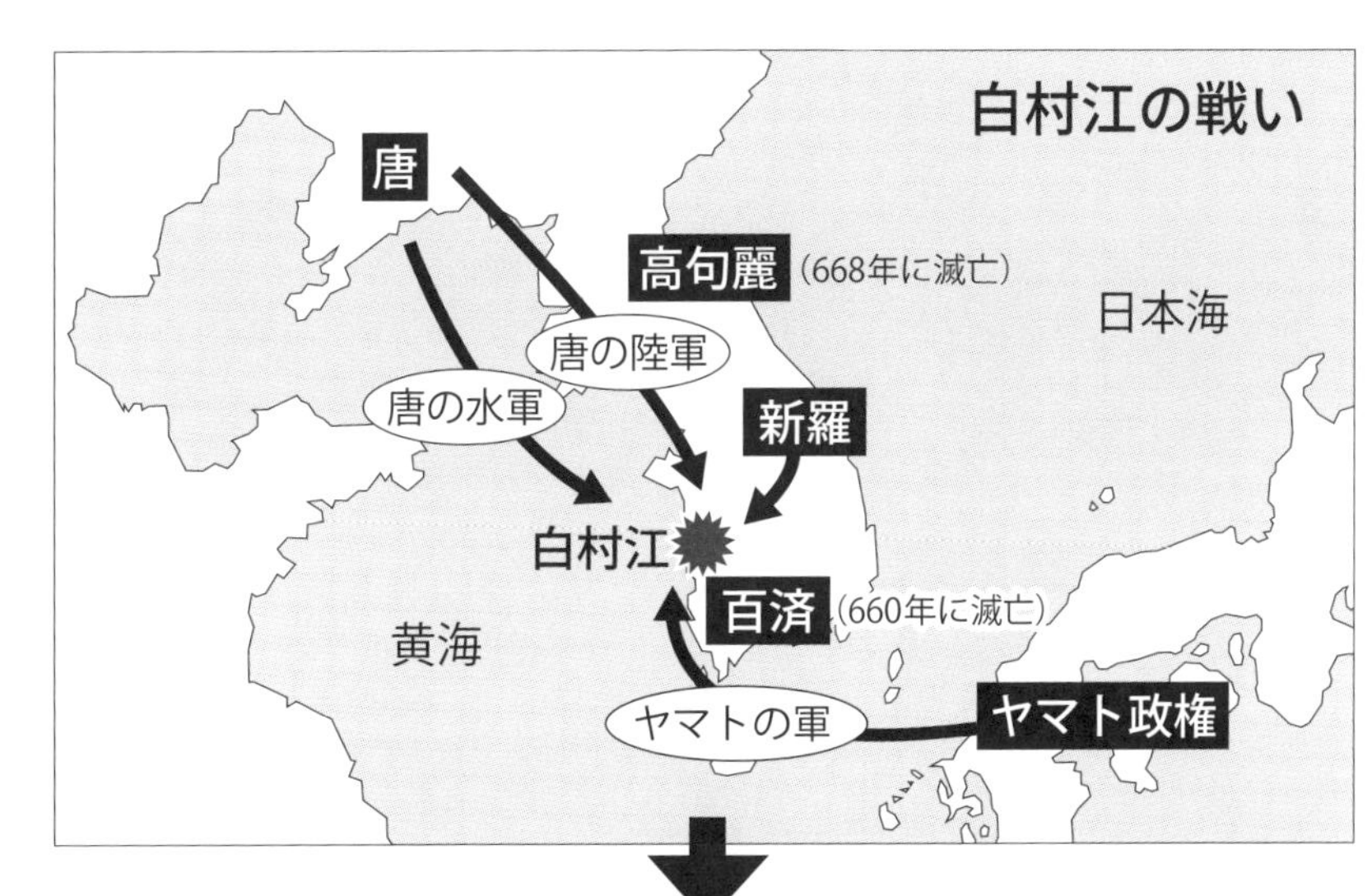

大敗北（663年）

日本史

敗戦を受け
法律などを整備し
国としての体制を
強固にする

強い国家を目指す

防御を固めるための
設備がつくられる

- 太宰府：現在の福岡県につくられた防衛・行政機関
- 水城（みずき）：博多湾と太宰府の中間に築かれた長大な城砦
- 大野城：石垣を張り巡らせた巨大な城
- 大津京：天智天皇の即位とともにつくられた新しい都

上：大野城の太宰府口城門跡
下：現在も1.2キロ残る水城跡

ようが変わるはずもありません。そのことを思い知らされたのが、６６３年の**白村江（はくそんこう）における大敗北**でした。

戦勝国を手本に国をつくる

百済（くだら）の救援要請を受けて、軍を朝鮮半島に派遣したところ、唐・新羅連合軍の前に大敗してしまったのです。

敗戦原因がさまざま考えられるなか、ヤマト政権首脳部が痛感したのは、唐帝国と自国の国のありようでした。

唐帝国は国の行政・業務などすべてが、法律にのっとって行われる**律令国家**です。対して自国には、国の運営に必要となる規定がなかったのです。

この事態を受けてヤマト政権首脳部は、唐帝国を手本に律令国家体制づくりを推進するのです。

7世紀

激動の東アジア情勢が「日本」「天皇」を生んだ

私たちが現在使っている「日本」「天皇」という呼称は、律令国家構築の過程で制定されました。

国書を受け取った随の煬帝

「日出処の天子」と自称した聖徳太子

浄御原令（689年）

[国名]		[王の名前]
倭	律令制の骨格となる	治天下大王
↓		↓
日本		**天皇**

↓

大宝律令（701年）へ

「日出処の天子」と書かれた国書

私たちは今日、天皇、日本という名称を当たり前のように使っています。

この名称は６８９年に施行された本格的法律「浄御原令」において正式に採用されました。

これ以前、天皇は**「治天下大王」**を称し、国名は**「倭国」**でした。中国王朝が日本を「倭」と呼んだことから、自分たちの国名としたのです。

中国王朝は古くから、東アジアの盟主的存在でした。このため古代日本も長らく、他の国々同様、中国皇帝の威光をバックに国を成り立たせていました。

しかし、ヤマト政権の欽明朝期あたりから、中国王朝と肩を並べる存在になる道を模索し始めます。

7世紀初頭、遣隋使が「日出処の天子、書を日没する処の天子に致す。つつがなきや」としたためた国書を携えて渡海し、隋皇帝・煬帝を激怒させたのは、最初の試みです。

「天下に天子はただ1人のみ」との認識に立つ中国王朝と皇帝に、あえて「東方の天子」を自称して見せたのです。まさに**中**

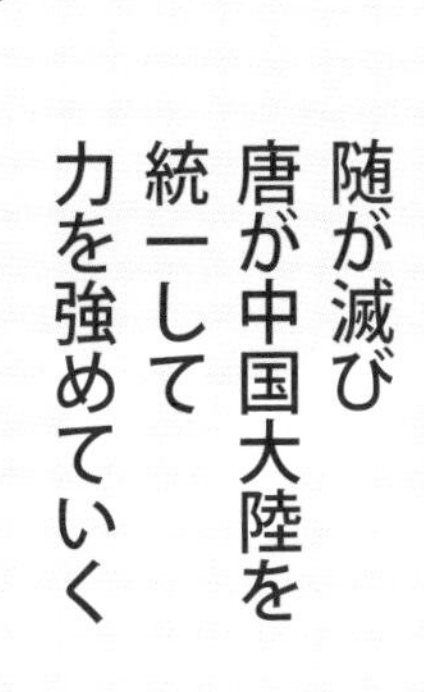

随が滅び
唐が中国大陸を
統一して
力を強めていく

世界史

日本史

中国の冊封体制下から
離脱するために
天皇・日本という
名称を制定する

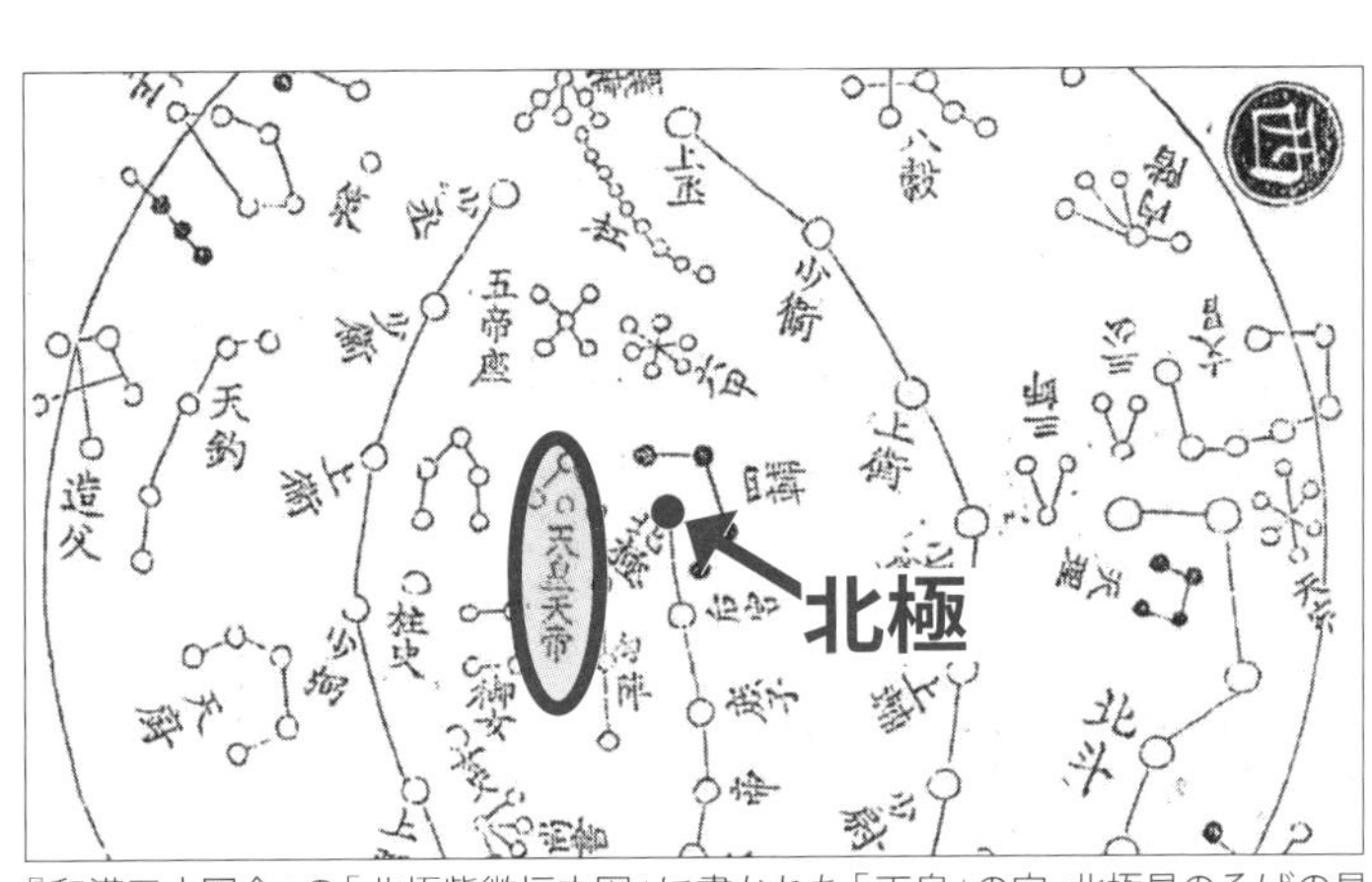

『和漢三才図会』の「北極紫微垣之図」に書かれた「天皇」の字。北極星のそばの星に例えられている。

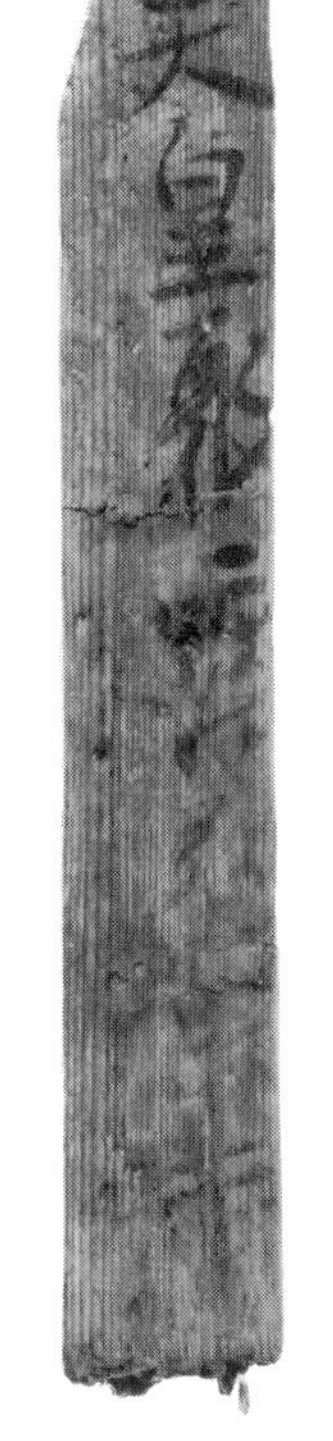

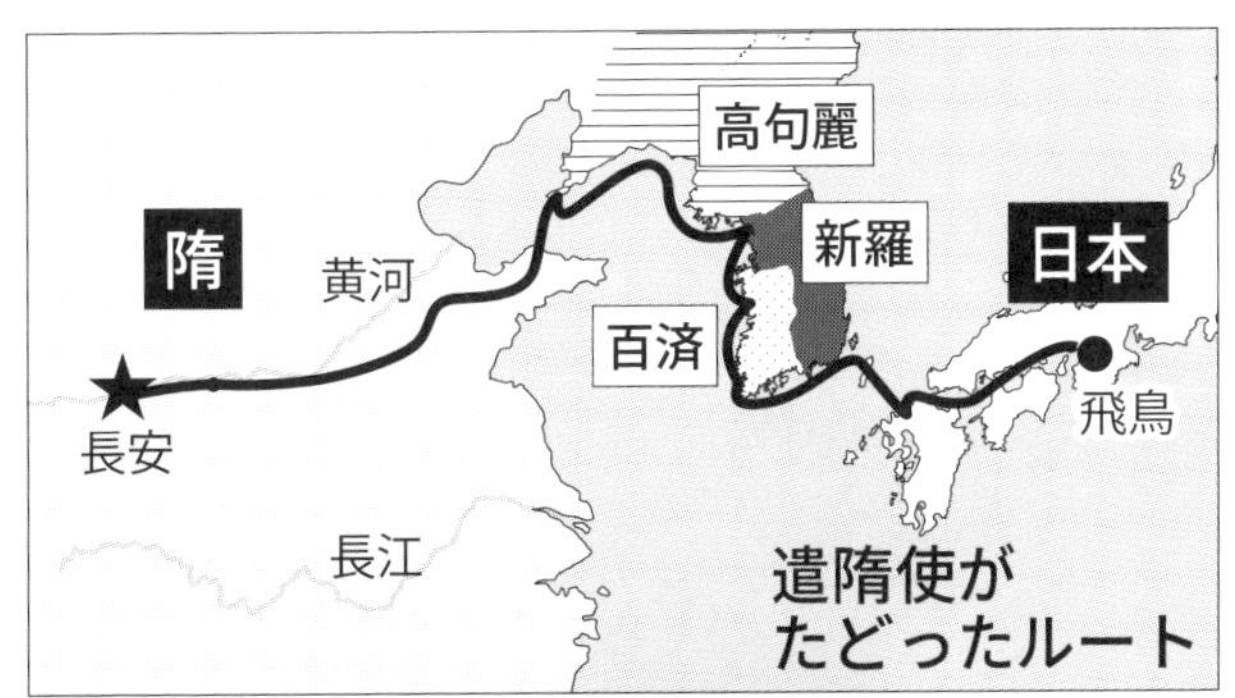

左：天皇と書かれた木簡（提供：奈良文化財研究所）
上：ヤマト政権発祥の地とされる奈良県桜井市の纒向遺跡（写真提供：時事）

国王朝と中国皇帝の権威に対する挑戦でした。

「天皇」の呼称は中国の最高神格

隋帝国が滅亡すると、唐帝国が新たに東アジアに君臨します。これを受けて倭国では、富国強兵と中央集権化を推し進めます。

こうしたなか、法律により国を運営する律令国家体制に移行し、治天下大王は**「天皇」**へと呼称が変更されるのです。

天皇とは道教（中国固有の民衆宗教）の最高神格です。皇帝と比較しても見劣りしません。この動きのなかで、国号も正式に制定されました。

天皇号と日本の国号は、激動化する東アジア情勢を受けて、国の基盤を強固にするために制定されました。国の存続と繁栄をかけたものだったのです。

7世紀

アレクサンダー大王が飛鳥文化を生んだ

仏教の様式美を現在に伝える飛鳥文化の名品。西洋文化の影響が見てとれます。

法隆寺の柱（夏野篠虫 / PIXTA）

パルテノン神殿の柱（c6210 / PIXTA）

飛鳥寺の釈迦如来像

「アルカイックスマイル」の代表・クーロス像（©Ricardo André Frantz /CC BY-SA 3.0）

法隆寺に見られる異国の文化

7世紀前半に奈良県の飛鳥・斑鳩（いかるが）地方で花開いた文化は、「飛鳥文化」と呼ばれます。

日本初となる仏教中心の文化であり、現在も多くの芸術品が残っています。

この文化の特色は、**西アジア・インド・ギリシアの文化と共通性を持っている**点です。

柱の真ん中から下の部分にふくらみを持たせた、「エンタシス」は、その具体例です。

飛鳥文化の建造物では、世界遺産にも登録されている法隆寺

上：ポイタリアのンペイ遺跡のモザイク画に描かれたアレクサンダー大王（部分）

アレクサンダー大王
（紀元前356～前323年）
古代ギリシア・アルゲアス朝マケドニアの王
エジプトを征服
ペルシア王国を滅亡させる
遠征中に32歳で死亡

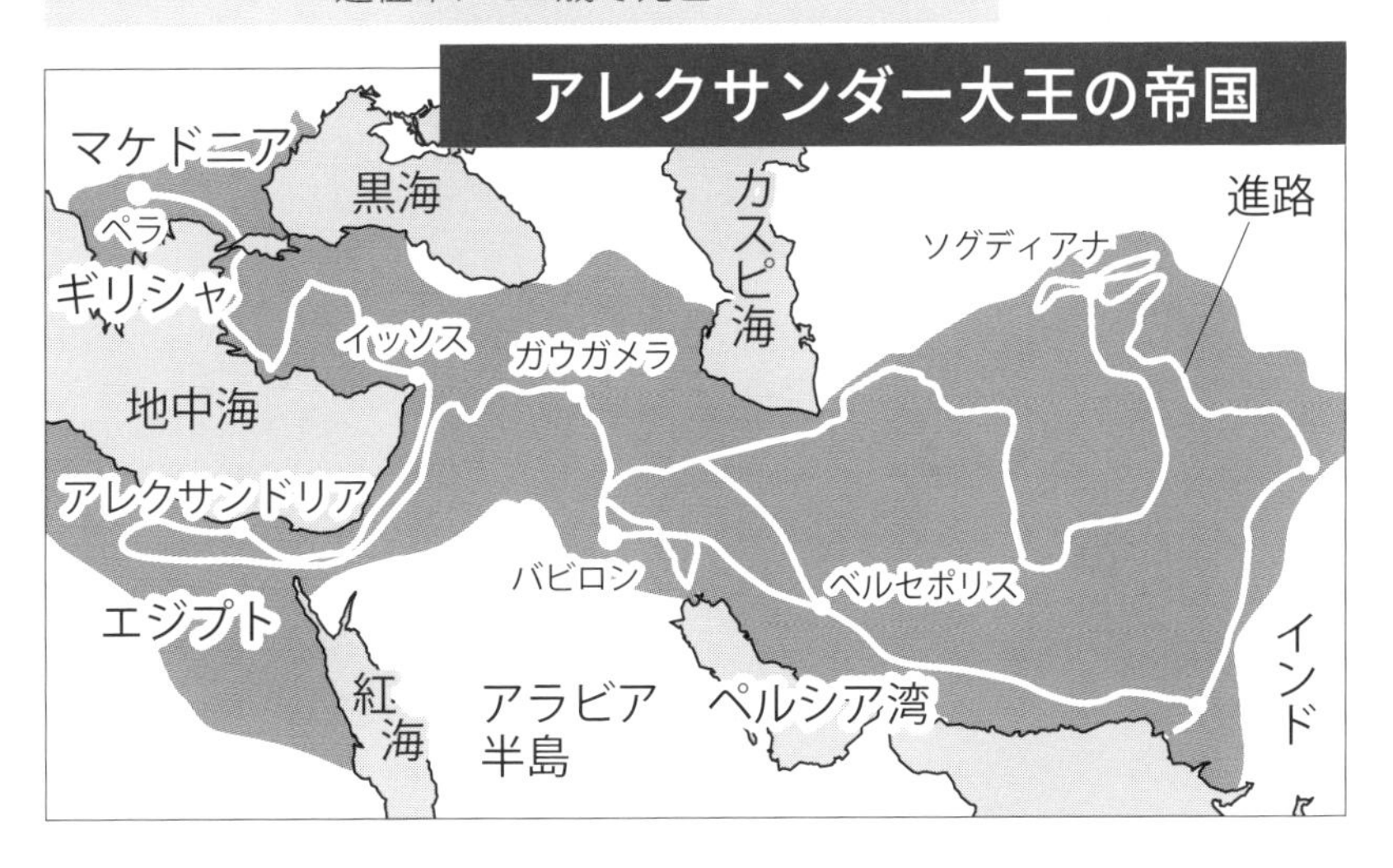

の中門や歩廊の柱に、エンタシスを確認することができます。

アレクサンダー大王の東方大遠征

飛鳥文化の成立には、**アレクサンダー大王**（アレクサンドロス3世）が深く関与しています。

マケドニアとギリシア世界を支配していた大王は、東方遠征を敢行し、支配域にギリシア人を移住させます。

結果、オリエント世界（現在の『中東』『中近東』に相当）と、ギリシア世界の文化が融合し、ギリシア風が色濃いヘレニズム文化が誕生するのです。

この文化は西北インドガンダーラ地方で仏教と融合し、やがて中国に伝わり、6～7世紀にかけて、仏教とともに日本に伝わります。アレクサンダー大王は、飛鳥文化の間接的な生みの親なのです。

世界と日本の大まかな流れ②

世界史	年	日本史
ローマ帝国で五賢帝時代が始まる	0	光武帝から「漢委奴国王」の金印が送られる
『漢書』が成立する		
	100	
黄巾の乱		倭国大乱
	200	
ササン朝ペルシアの建国		卑弥呼が邪馬台国の女王となる
赤壁の戦い		卑弥呼が魏に使いを送る
中国で曹丕が「魏」をおこす		
中国で「西普」がおこる		倭の女王（台与）が西普に使いを送る
『魏志倭人伝』が著される		
	300	
中国で「東普」がおこる（五胡十六国時代）		
ゲルマン民族の大移動		倭国が高句麗と戦う
	400	
中国で「宋」がおこる（南北朝時代）		倭王が東普に使いを送る
『後漢書』が成立する		大仙陵古墳が築かれる
中国で「斉」がおこる		倭の五王が宋に使いを送る
	500	
		仏教が伝来する
		崇仏論争が起こる
中国で「隋」がおこる		厩戸皇子が国政に参画する
		推古天皇が「仏教興隆の詔」を出す
	600	
ムハンマドがイスラム教を創始		第１回遣隋使の派遣
中国で「唐」がおこる		厩戸皇子が「日出処の天子」から始まる国書を隋に送る
		厩戸皇子が「憲法十七条」を制定
唐が百済を滅ぼす		法隆寺の建立
		第１回遣唐使の派遣
		乙巳の変・大化の改新
新羅が朝鮮半島を統一する		白村江の戦い
		近江大津宮への遷都
		「庚午年籍」作成
		壬申の乱
		「浄御原令」が施行
ヴェネツィア共和国が成立		藤原京への遷都
	700	
ウマイヤ朝による制圧によりイベリア半島がイスラム圏に入る		「大宝律令」制定
		銭貨「和同開珎」の発行
		平城京への遷都
		『古事記』『日本書紀』の完成
		聖武天皇が「国分寺建立の詔」を出す
中国で「安史の乱」が起こる		「墾田永年私財法」の施行
		東大寺大仏の開眼供養
カール大帝がフランク王に就任する		「養老律令」の施行
		長岡京への遷都

3章
軍事大国化した日本と大航海時代のヨーロッパ

9世紀

唐との断絶が日本独自の文化を生んだ

唐帝国の衰亡を受けて、日本は遣唐使を廃止。これが「国風文化」を生む要因となりました。

中国への使者の派遣

600年	第１回遣隋使の派遣	（『日本書紀』には記録がないが『隋書』にはあり）
607年	第２回遣隋使の派遣	小野妹子が国書を運ぶ 国交樹立
618年	李淵が隋を滅ぼし唐を建国	
630年	第１回遣唐使の派遣	
・ ・ ・		
838年	最後の遣唐使（第18回）の派遣（諸説あり）	
894年	菅原道真の提言で遣唐使の派遣が中止される	
907年	唐の滅亡・五代十国時代が始まる	

８～９世紀に描かれた遣唐使

平仮名の登場と女流文学

日本は白村江での敗戦（24ページ参照）以降、遣唐使を外交使節として派遣し、唐帝国を基本に国造りを進めていました。

しかし、平安時代中ごろ、唐帝国の衰亡を受けて、遣唐使を廃止します。

ほどなく唐帝国は滅亡。東アジアは激動期に入ります。五代十国、遼の建国、高麗朝鮮半島統一……。

日本はこの動乱に巻き込まれるのを警戒し、関係を交易にのみ限定し、孤立主義を採りました。

これにより中国文化の流入が止まり、たくわえられていた唐文化の消化・吸収が進んで、日本固有の文化と融合し、**「国風文化」**が生まれるのです。

代表格は**平仮名**です。

宮廷の女性が、書状や和歌のやり取りをするのに用いたこの文字の登場で、女流文学が誕生します。

清少納言の『枕草子』、紫式部の『源氏物語』、和泉式部の『和泉式部日記』、菅原孝標の女（むすめ）の『更級日記』など、数多くの作品が生み出されました。

世界史

唐の衰退・崩壊により中国が分裂の時代に入る

日本史

遣唐使の廃止により国風文化が栄え女流文学などが生み出される

上：国風文化を象徴する平等院鳳凰堂（写真提供：時事）
左：大和絵『源氏物語絵巻』の「東屋二」（藤原隆能画）
下：最古級の蔵王権現像（写真提供：共同通信社）

平仮名の「いろは歌」がほぼ全文記された墨書土器（写真提供：時事）

「権現」という呼称も誕生する

宗教面では日本固有の神と、仏教の仏を融合させる「神仏習合」が進みました。

この神仏習合の過程で生まれたのが、現在もしばしば耳にする**「権現」**という語です。権は「仮」の意。仏が神という「権」の姿でこの世に「現」れたから権現なのです。この権現は現世利益をもたらすものでした。

時代が下がると、熊野権現、愛宕（あたご）権現、秋葉権現、白山権現などさまざまな権現が生まれ、多くの信仰者を集めました。

寺院への参拝も、御利益を掲げる権現隆盛のなかで一般化したのです。

ほかにもさまざまな分野で日本化が進みました。現在の文化のルーツをたどると、等しく唐帝国との断絶にたどりつきます。

13世紀

鎌倉時代の始まりとモンゴル帝国の始まり

日本で鎌倉時代が始まったころ、ユーラシア大陸では、モンゴル帝国が版図を拡大していました。

平安末期になると武士が時代の主役になった。1160年に起きた平治の乱は、その象徴的な出来事となった。(『平治物語絵巻』より)

平氏 VS. 源氏

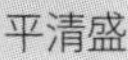

平清盛

源頼朝像

1185年の壇ノ浦の戦いで平氏は滅亡した。(『源平合戦図屏風』より)

平家の滅亡と鎌倉時代の始まり

12世紀中ごろ、日本では平清盛をトップとする平家が政治を独占していました。

朝廷はこれを快く思わず1180年、平家を倒そうとします。

応じて各地で源氏が挙兵し、源平合戦が始まります。結果、平家は滅亡に追い込まれるのです。

このあと源頼朝が鎌倉に幕府を開設し、**鎌倉時代**が始まります。日本史上初となる武家政権の誕生でした。

左:モンゴルの徴税官がロシアの人々に頭を下げられる様子(セルゲイ・イワノフ画)
右:ポーランドに侵入したモンゴルが起こした「ワールシュタットの戦い 」。騎馬の力で勝るモンゴルが勝利した。

チンギスハンを描いた絵画。帝国の大きさを反映して、いろいろな画風で描かれている。(左は故宮博物院の絵画、右はイスラム世界の歴史書『集史』より)

モンゴル帝国による大陸支配

日本が鎌倉時代に入ったのとほぼ同時期、ユーラシア大陸では**モンゴル帝国**が、爆発的な勢いで版図を拡大していました。

モンゴル帝国は最終的には、東は中国大陸北東部、西は東ヨーロッパ、南はイラン高原、北はロシアまでを支配域としました。ユーラシア大陸のほぼ全域です。

同帝国がユーラシア大陸を支配したのは、大陸全体にまたがる貿易圏を得るためです。

この貿易圏誕生により、東西の情報・物資・人の流れが、それ以前と比べものにならないほどスムーズになりました。つまり、これまで地域に限定されていたものが、ダイレクトに影響しあうようになったのです

有史以降初めて**「世界史」が誕生した瞬間**でした。

13世紀

蒙古襲来がのちの倭寇を生んだ

鎌倉時代中期に起こった2度の蒙古襲来が、結果的に倭寇を生む要因となりました。

上：文永の役を描いた絵巻（『蒙古襲来絵詞』より）
右：復元された当時の防塁

蒙古を撃退して交易ルートを確保

鎌倉時代中期、日本はモンゴル帝国から枝分かれした「元（げん）」帝国の侵攻を受けます。

これを**「蒙古襲来」**または**「元寇（げんこう）」**と呼びます。この侵略は、文永の役（1274年）、弘安の役（1281年）の2回起こりました。

1回目は、元軍内部で指揮系統を巡っての対立が発生し、元軍が自主的に撤退し、2回目は暴風雨によって壊滅しました。

2回目の弘安の役の際には、多数の江南の人々が元軍に含まれていました。元によって滅ぼされた南宋の人々です。

生き残った人々のうち、元軍将兵はひとり残らず処刑されますが、江南の人々たちは生かされました。

これは、日本が長らく南宋と、交易を通じて良好な関係を保っていたためです。

14世紀に入ると、朝鮮半島や中国大陸南部の沿岸で海賊**「倭寇」**が暴れまわります。

彼らは海の武士団ともいうべき、武装交易商人の群れであり、北部九州の人々が主体となっていました。

フビライ・ハンが
中国に元王朝を樹立し
周辺国を征服し始める

世界史

日本史

蒙古による
支配を防ぐために
倭寇を利用して
物資を得る

元の遠征と諸国の抵抗

★日本
文永の役（1274）
弘安の役（1281）
→退却

★高麗→属国化
★陳朝ベトナム→３度派兵・退却
★チャンパー王国→退却
★パガン朝ビルマ→パガン朝滅亡
★シンガサーリ朝ジャワ→退却

上：倭寇の船と明の船の合戦の様子　下：城門から明軍が出てくる様子（ともに『倭寇図巻』より）

自己防衛としての倭寇

倭寇が略奪行為を働いたのは、２つの理由によります。

じつは日本はこの時期、南北朝の動乱期にあり、大量の軍需物資が必要でした。国内では供給が間に合わなかったため、大陸に押し寄せたのです。

もうひとつは、**自己防衛**です。北部九州の人々は、蒙古襲来の経験から、「最初の犠牲者は自分たち」と理解していました。このため、交易ではなく、略奪という非常手段に出たのです。

このとき役立てられたのが、生かされた江南の人々から仕入れた、沿岸都市に続く海の道、造船術など諸々の情報でした。倭寇は日本で南北朝合一がなされ、大量の軍需物資が必要となくなるまで続けられました。

蒙古襲来があったから、その後の倭寇があったのです。

14世紀

明の冊封体制下に入った足利義満

中国大陸で明帝国が成立すると、室町幕府を統べる足利義満は、明に対して臣従の意を示します。

冊封体制

臣下の礼をとる

足利義満

明の初代皇帝・洪武帝

義満がつくった金閣寺。この時代には豊富な資金をもとに洗練された室町文化が生まれた。

日本国王に任じられた足利義満

日本に侵略行為をしかけた元帝国が、衰亡の末にモンゴル高原に後退すると、中国は洪武帝（朱元璋）が建国した明帝国の支配下に入りました。

中国の明時代初期、日本は南北朝時代から室町時代への過渡期でした。室町幕府のトップは**足利義満**です。

明帝国は、臣下としての礼をとる国としか交易を行わない方針を打ち出していました。

これに応じれば、中華帝国のプライドをかけて、貢物をはるかに上回る物品や金銭を下賜し、貿易を許可したのです。

見返りが大きい点は魅力的ですが、対等の外交関係ではない分、屈辱的でもあります。

しかし、足利義満はこの屈辱的外交をあえて受け入れることを選び、将軍在職中から、積極的に明帝国に働きかけるのです。

将軍職を退くと、足利義満はこの動きを本格化させ、1401年に明帝国との国交を樹立し、翌年には臣従の証として、明皇帝から「日本国王」に任じられるのです。

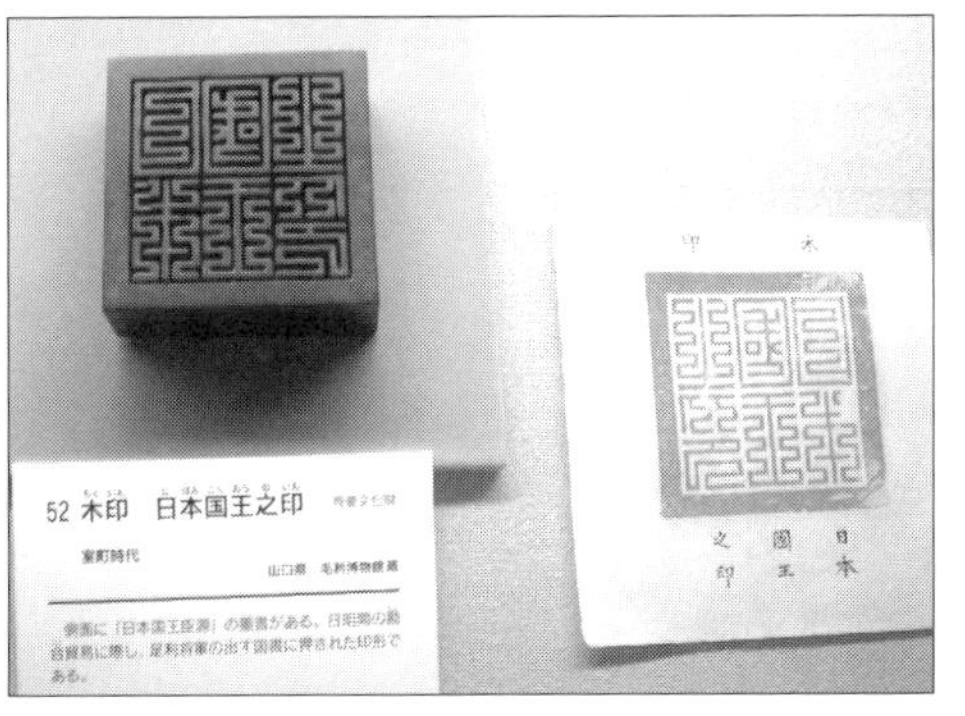

左：船舶模型 遣明船（所蔵・写真提供：船の科学館）
左下：大内氏が明との勘合貿易に使用した印（提供：朝日新聞社）

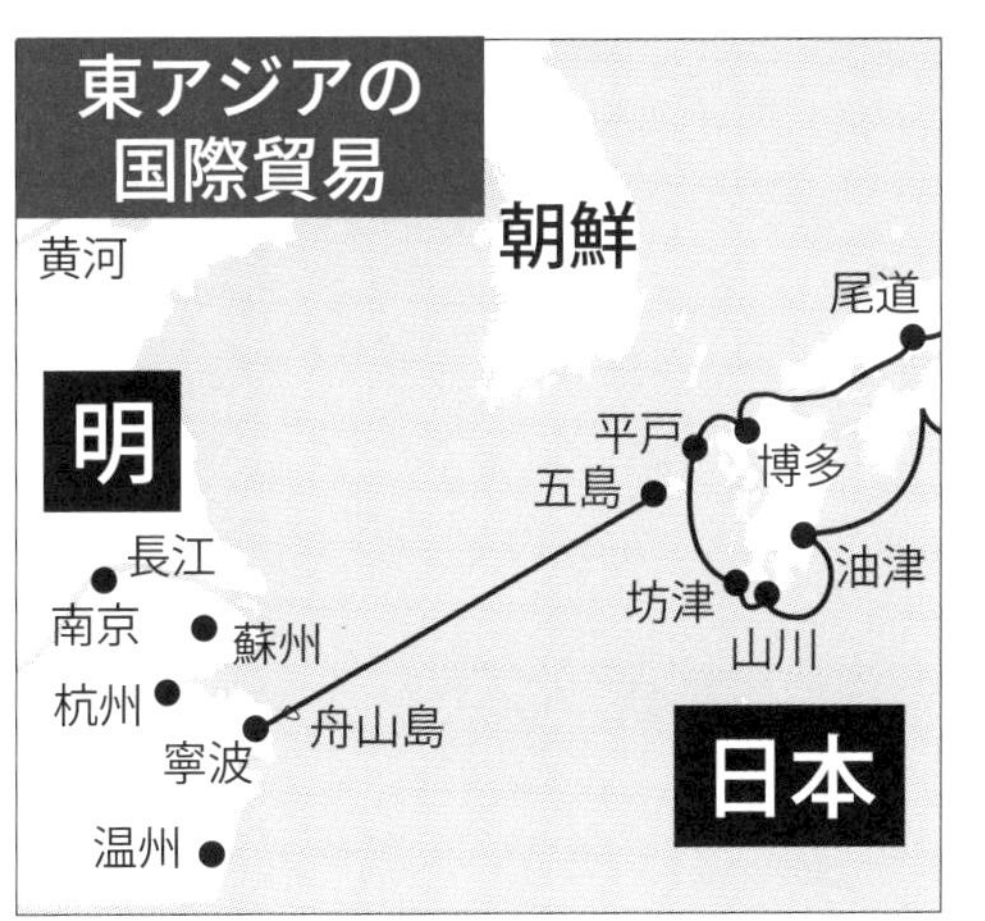

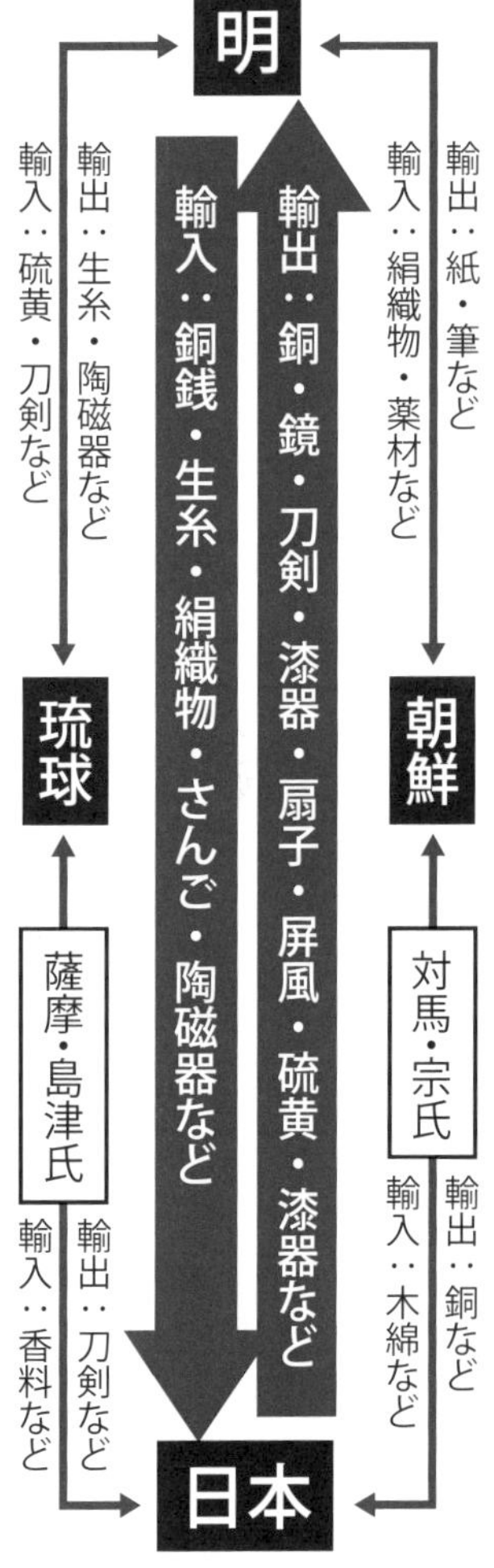

勘合符による明帝国との交易

1404年、日本と明帝国のあいだで貿易が開始されます。明が貿易統制のために出した「勘合符」を使った貿易のため、勘合貿易と呼ばれています。

この貿易では明帝国が諸費用を負担したため、日本側が得る利益は莫大となりました。これにより足利義満は巨額の富を得て、**天皇・上皇をしのぐ権力を誇る**ことになるのです。

ところで、足利義満は何も私利私欲を優先したのではありません。**銅銭**が大きな狙いでした。

じつは、鎌倉時代中期から日本列島の**経済体制**は、貨幣経済へと移行しつつありました。

日本では貨幣を造っていないので、大陸から輸入するしかありません。足利義満は日本の経済振興を促す意味で、あえて実利を選んだのです。

16世紀

ペストと香辛料が日本を軍事大国化させた

鉄砲が伝来するや、戦国時代の日本はたちまち、世界一の軍事大国へと変貌しました。

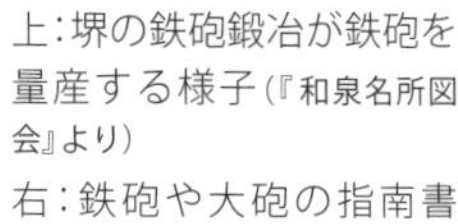

上：堺の鉄砲鍛冶が鉄砲を量産する様子（『和泉名所図会』より）
右：鉄砲や大砲の指南書『武道藝術秘傳圖會』に描かれた大砲の説明

世界一の軍事大国だった戦国時代の日本

1543年、ヨーロッパ人から日本に鉄砲がもたらされます。銃口から火薬と弾丸を込め、火縄で着火させる**火縄銃**です。

鉄砲伝来時、日本は群雄割拠の戦国時代でした。このため**鉄砲の国産化と量産化**が急速に進みます。

ところで、戦国時代が本格化する前、日本は世界一の**武器輸出国**でした。膨大な数の日本刀を中国の明帝国に売っていたのです。「倭刀甚だ利あり。中国人多くこれをひさぐ」とは、中国側の物産書『東西洋考』中の日本刀評です。

日本刀の質の高さを支えたのは、刀鍛冶（かじ）職人の技術力です。彼らが本格的に鉄砲製造に乗り出したことで、戦国時代の日本はたちまち、ヨーロッパをしのぐ鉄砲保有国に成長し、**世界一の軍事大国**になるのです。

日本が戦国時代にある時期、ヨーロッパ諸国は武力を背景に、東南アジア各地を植民地化していました。しかし、日本の圧倒的軍事力を前にしては、さすがのヨーロッパ勢力も手を出すことは不可能でした。

ヨーロッパ諸国が
東南アジア各地を
植民地化する

世界史

日本史

武器を生産・輸出して
世界一の
軍事大国となる

ペストへの怖れと香辛料への期待

中世ヨーロッパでは、ペストによって推計5,000万人が死亡し、差別や虐殺などの混乱にもつながった。

左：ペストの脅威を描いた絵画（ベックリン画）／上：ペスト禍で虐殺されるユダヤ人／下：「フィレンツェのペスト」（ルイージ・サバテリ画）

生産地はそれぞれ以下のみ

★コショウ…
インドのマラバル
★シナモン…セイロン島
★ナツメグ…バンダ諸島
★クローブ…
モルッカ諸島のテルナテ、ティドーレなど5つの島

ペストの特効薬と信じられた香辛料

戦国日本が超軍事大国に変貌した理由をたどると、**ペスト**と**香辛料**にたどり着きます。

ペストは感染すると全身に黒い斑点を浮かび上がらせて悶死（もんし）する恐ろしい病です。

このペストの特効薬と信じられていたのが、東南アジア産の**香辛料**です。塩漬け肉の臭みを消す効果もあり、ヨーロッパの生活必需品でした。

しかし、じつに高価でした。ヨーロッパとアジアのあいだを支配するイスラム勢力が、アジアで香辛料を買いつけると、莫大な仲介料を課して、ヨーロッパに売りつけていたためです。

「直接香辛料を…」との思いは、ヨーロッパ人のだれもが抱いていました。この思いが彼らを東方へと駆り立てた結果、日本に鉄砲が伝来したのです。

16世紀

金銀がつなげた日本と大航海時代のヨーロッパ

ヨーロッパ勢力の東方世界進出により、日本の金銀が世界経済を牽引することになりました。

日本は世界有数の金銀産出国

15世紀中ごろから17世紀中ごろにかけて、ヨーロッパの人々は大型帆船を駆って大洋へと乗り出し、**東方世界への進出**を開始します。

この時期を日本では**「大航海時代」**と呼んでいます。

この大航海時代の原動力となった要因のひとつに、日本列島で産出される金と銀がありました。

当時のヨーロッパ人は、日本をマルコポーロが『東方見聞録』中で紹介した「黄金の国ジパング」であることを知っていたのです。

16世紀の日本は、群雄割拠の戦国時代です。戦国大名たちは軍資金調達のため、鉱山経営に力を入れました。

新しい金銀精錬法「灰吹法（はいふきほう）」が朝鮮半島経由で伝わると、金銀の産出量は激増し、豊臣秀吉の時代に頂点に達します。

そのありさまは織田信長と豊臣秀吉に仕えた太田牛一（おおたぎゅういち）が、『太閤様軍記の内』で「太閤秀吉公御出世より此かた、日本国々に、金銀山野にわきいで……」と記したほどでした。

大洋へと乗り出したヨーロッパ諸国

オランダ東インド会社による、現在のミャンマーでの奴隷売買の様子（1663）

17世紀のイギリスのガレオン船の模型（所蔵・写真提供：船の科学館）

16世紀中ごろの活版印刷の様子

マルコポーロの紹介により東方の「黄金の国」の存在を知る

世界史

日本史

戦国大名たちが軍資金のため金銀を大量に産出する

16世紀の銀の交易ルート

シュバック銀山
石見銀山
サカテカス銀山
ポトシ銀山
リスボン
セビーリャ
ゴア
マカオ
平戸
マニラ
マラッカ
ハバナ
アカプルコ
リマ
バイア
サンディアゴ
希望峰
モザンビーク
サンジョルジェ

『東方見聞録』の１ページ

上左：石見銀山の「龍源寺間歩」。ノミで掘り進んだ跡がそのまま残っている。
上右：石見銀山の清水谷製錬所跡。石見銀山では採掘に加えて高度な精製が行われていた。
下：16世紀にポルトガルで作られた地図。右上に「MINAS DE PRATA（銀鉱山）」と書かれている。

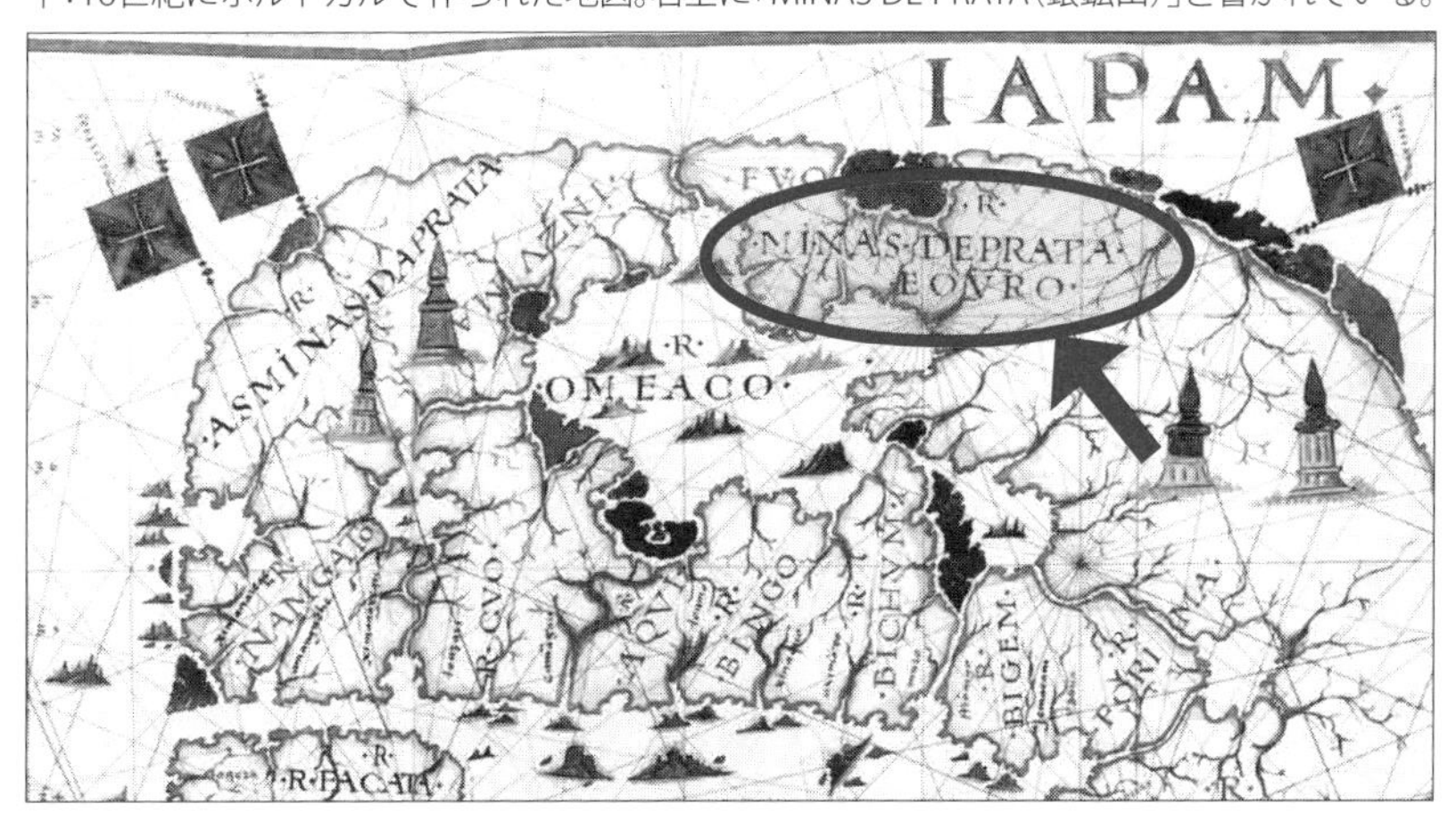

幻の金銀島探索まで行われた

貿易に際しては、**膨大（ぼうだい）な量の日本銀**が決済に使用されたため、日本銀はアジアやヨーロッパの経済を大きく左右するほどの影響力を持ちます。

ヨーロッパ人は、「日本の金銀量が膨大なのは、列島以外にも産出地があるから」と考え、日本近海で金銀島探索もおこないました。

血まなこになって日本近海を行き来する、ヨーロッパ人の航海者たち。スペインの探検家セバスチャン・ビスカイノなどは、日本に上陸したのを機に、奥州の独眼竜こと伊達政宗と親交を結び、「皇帝に次ぐ人物」と報告書に記しています。

この金銀島探索は幾多の探検家によってその後も継続され、19世紀初頭、ロシア海軍によるものを最後に、幕を閉じました。

世界と日本の大まかな流れ③

世界史	年	日本史
中国の「黄巣の乱」	800	平安京遷都 空海と最澄が遣唐使に随行して唐に渡る 最後の遣唐使の派遣 清和天皇が「源」姓を経基王に与える 「平」姓が高望王に与えられる 遣唐使を廃止する
中国で「宋」がおこる 神聖ローマ帝国の成立	900	平将門が「新皇」を称する
第１回十字軍編成	1000	清少納言が『枕草子』を著す 紫式部が『源氏物語』を著す 藤原道長が摂政に就任 前九年の役が始まる 菅原孝標女が『更級日記』を著す
中国で「南宋」がおこる	1100	中尊寺金色堂の建立 保元の乱 平治の乱 平清盛が太政大臣に就任する 壇ノ浦の戦いが起こり平氏が滅亡する 源頼朝が征夷大将軍に就任
チンギス・ハンがモンゴル帝国を建国 ワールシュタットの戦い フビライ・ハンが日本に親書を送る 中国に「元」がおこる マルコ・ポーロが『東方見聞録』を著す オスマン帝国の建国 ペストの大流行	1200	北条義時が執権に就任 承久の乱 北条時宗が執権に就任する 文永の役（第１回元寇） 弘安の役（第２回元寇） 倭寇が近海を荒らし回る
英仏百年戦争が始まる 中国の「紅巾の乱」 中国に「明」がおこる	1300	足利尊氏が征夷大将軍となり室町幕府が成立する 足利義満が将軍になる 南北朝合一
オスマン帝国がコンスタンティノープルを占領 コロンブスがアメリカ大陸に到達	1400	足利義満が「遣明使」を派遣 応仁の乱
ルターが宗教改革を開始 コルテスがアステカ帝国を征服 オランダ独立戦争 イギリスが北アメリカに植民を開始 イギリス軍がスペインの無敵艦隊を破る	1500	種子島に鉄砲が伝来 フランシスコ・ザビエルが来日 桶狭間の戦い 本能寺の変 豊臣秀吉が朝鮮に出兵

4章
江戸の泰平と世界の戦乱

17世紀

外国人の行列が演出した「パックス・トクガワーナ」

軍事政権だった徳川幕府は、「行列」を自身の威光を示すための演出装置としていました。

朝鮮通信使。将軍の代替わりのようなときに来日し、このように隊列を組んで各地を練り歩いたという。（羽川藤永画「朝鮮通信使来朝図」1748年頃）

幕府の力を演出するための派手な行列

1603年、徳川家康が征夷大将軍に就任し、江戸に幕府を開きます。徳川幕府はそれから264年存続しました。

初期こそは多少の戦乱がありましたが、あとは泰平続きでした。

この泰平の時代を近年では、「パックス・ロマーナ（ローマの平和）」という表現を借りて、**「パックス・トクガワーナ（徳川の平和）」**と表現することがあります。

さて、この「パックス・トクガワーナ」を実現させた徳川幕府が軍事政権であることは明白です。

軍事政権が、政権を維持するためには、「武力」を示し続ける以外にありません。

しかし、無用な戦争はできません。そこで幕府が考えたのが「武威」でした。

武力の威光を周囲にアピールし続けることによって、「将軍と幕府はさすが！」と思わせ、国内体制を維持したのです。

このとき武威の発揚に、大きな役割を果たしたのが、行列でした。

世界史

朝鮮やオランダなどが日本に使いを出し隊列を組んで江戸におもむく

日本史

異人たちの行列の威光を借りて長期間の平和を築き上げる

左:江戸へおもむくオランダ人の行列（1727年頃・『日本誌』より）
下:江戸におもむいたオランダ人の様子（「和蘭人拝礼図」）

海外にまで広がる徳川将軍の威光を演出

この行列のうち**「異人行列」**はとくに、体制維持に役立ちました。朝鮮通信使行列はその代表です。

朝鮮通信使とは、将軍の代替わりごとに派遣された、朝鮮国の友好使節です。1607～1811年まで計12回来日しています。

経費は全額日本の負担でしたが、幕府にとって重要なことでした。**「徳川将軍の威光は海外にまで広まっている」と国内に喧伝できる**からです。

人々が見守るなか、将軍のいる江戸へと向かう異国人の行列。徳川将軍家と幕府の威光を、被支配者層に実感させるのに抜群の演出です。

異人行列はこのほかに、琉球王国使節団と、オランダ商館一行がありました。

このうち後者は、長崎出島にあるオランダ商館長（甲比丹）の江戸参府です。3代将軍・家光の時代から、行列見物は庶民の春の風物詩となっていました。

このオランダ商館長江戸参府について、江戸に出てきたばかりの若者・松尾芭蕉が、こんな一句を詠んでいます。「甲比丹もつくばはせけり君が春」

意味は「この春も、オランダ商館長一行がやってきて、将軍の前にひれ伏した。じつにめでたい春である」となります。

異人行列はまさに、「パックス・トクガワーナ」にひと役買っていたのです。

17世紀

江戸時代の泰平はヨーロッパの動乱のおかげ

日本が泰平の江戸時代を謳歌していた時期、欧米は革命と戦争に明け暮れていました。

ファルツ戦争（1688～1697）

スペイン継承戦争（1701～1714）

フランス革命（1789～1799）

イギリス＝オランダ戦争（第1次：1652～1654）

約200年続いた日本の平和

江戸時代を形容するのに、しばしば「泰平」という言葉が用いられます。「平和で穏やかなこと」の意です。

江戸時代約260年の期間中約200年は、日本は外圧もなく穏やかな時代でした。

この時期、東南アジアは欧米諸国に植民地として侵食されていました。

しかし、日本にまで手を延ばせない事情がありました。17～19世紀初頭にかけて、**ヨーロッパは革命と戦争の時代だった**のです。

イギリスのピューリタン革命と名誉革命。同国と新興オランダの第1次イギリス＝オランダ戦争。スペイン・イタリア対イギリス、オランダ、フランスによるファルツ戦争。スペイン継承戦争、七年戦争、そしてフランス革命。

北米大陸ではアメリカの独立戦争が勃発し、ヨーロッパはナポレオンの台頭により、激しい戦火に包まれるのです。

欧米諸国が極東の島国日本にかまっている余裕はまったくありませんでした。

ヨーロッパで約200年にわたり革命と戦争の時代が続く

世界史

日本史

銅の輸出で稼ぎつつ泰平の時代を謳歌(おうか)する

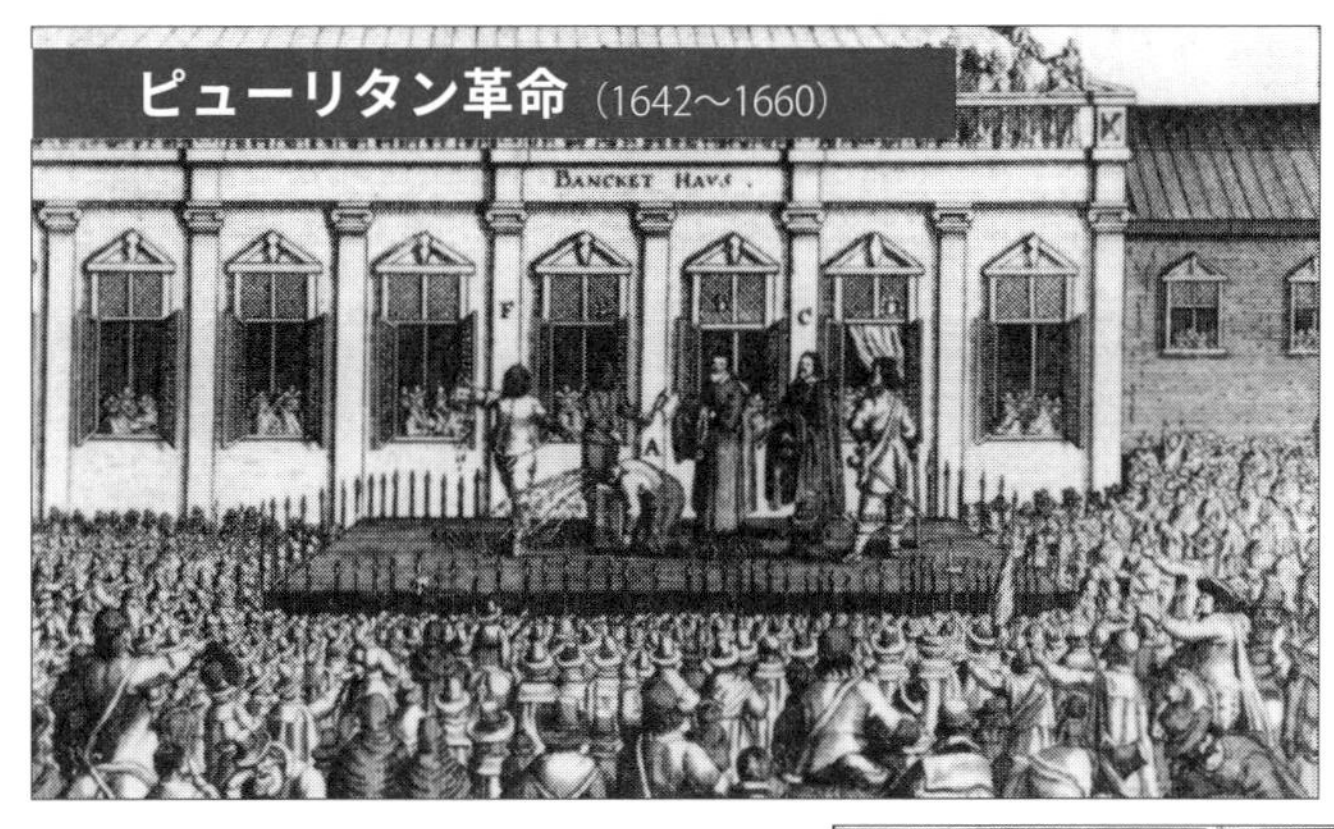

戦いに敗れ群衆の中で処刑されるイングランド国王チャールズ１世と、それを見物する人々

左：1698年に1521トンの銅を産出した別子銅山の選鉱場跡
上：イギリスでも紹介された鉱山技術書『鼓銅図録』

出島での銅の測量と箱詰め作業の様子。左上から銅を取り出し、中央でオランダ商館員のチェックを受け、右下から運び出している。（『唐蘭館絵巻』蘭館図、倉前図）

大量の日本の銅が海外に出回る

日本産の銀については、すでに別の項で触れていますが、銀と並んで大きな影響を及ぼしたものがあります。

日本産の銅です。

日本列島は銅の産出量が豊富でした。銅は貨幣の鋳造(ちゅうぞう)には不可欠な鉱物です。中国やインドでは、「棹銅(さおどう)」と呼ばれる銅を輸入していました。これは銅を棒状に加工したものです。

また、アジアの貨幣を持たない地域では、日本から輸入した銅銭をそのまま流通させました。

日本銅を大量に買って売りさばいたのは、日本と唯一通商関係を持つ、オランダの東インド会社でした。

この日本産銅は、戦争続きのヨーロッパに運ばれ、武器の鋳造にも使われたのです。

17世紀

江戸時代初期の日本は「大進出時代」だった

「鎖国」のイメージが強い江戸時代ですが、この時代の初期は海外進出がさかんな時代でした。

江戸時代初期に東南アジアへと旅立った山田長政とその船（「山田長政奉納戦艦図絵馬写」）

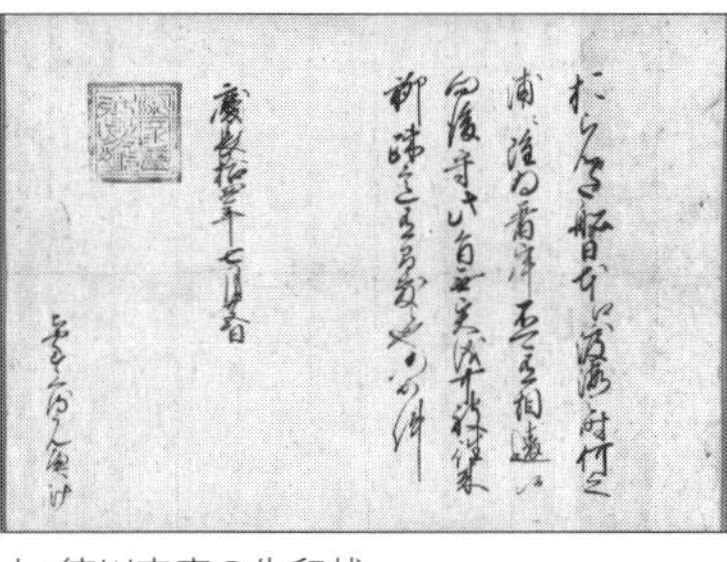

上：徳川家康の朱印状
右：タイのアユタヤにつくられた日本人町の地図。右下にJaponeseの字がある。（ケンペル『日本誌』より）

海洋交易国家としての日本

江戸時代というと、外交を極端に制限した「鎖国」をイメージしがちですが、同代初期は意外にも、外交がさかんな**「大進出時代」**でした。

オランダや**イギリス**との貿易が始まり、途絶えていた**スペイン**との貿易を再開すべく、徳川家康の命で、使節がノビスパン（スペイン領メキシコ）に派遣されています。

とくにさかんだったのは、東南**アジアとの貿易**です。輸出品を運ぶ商船は、徳川幕府から海外渡航許可証ともいうべき「朱印状」を発給されていました。これを**「朱印船貿易」**と呼びます。

東南アジアの各所には、多くの日本人町が形成されており、日本人たちは、滞在先の国内でさまざまな仕事に従事しました。

ここでは、オランダやポルトガル、中国大陸の明国も貿易を行っていましたが、日本の朱印船貿易はオランダや明国以上で、ポルトガルに拮抗するほどさかんな時期もあったそうです。

江戸時代初期の日本はまさに、東洋最大の海洋交易国家でした。

ヨーロッパの船が世界各地に進出し大航海時代が到来する

世界史

日本史

江戸時代初期の日本は積極的に海外に進出した

徳川幕府２代将軍秀忠がイギリスに贈った甲冑。現在はロンドン塔で展示されている。

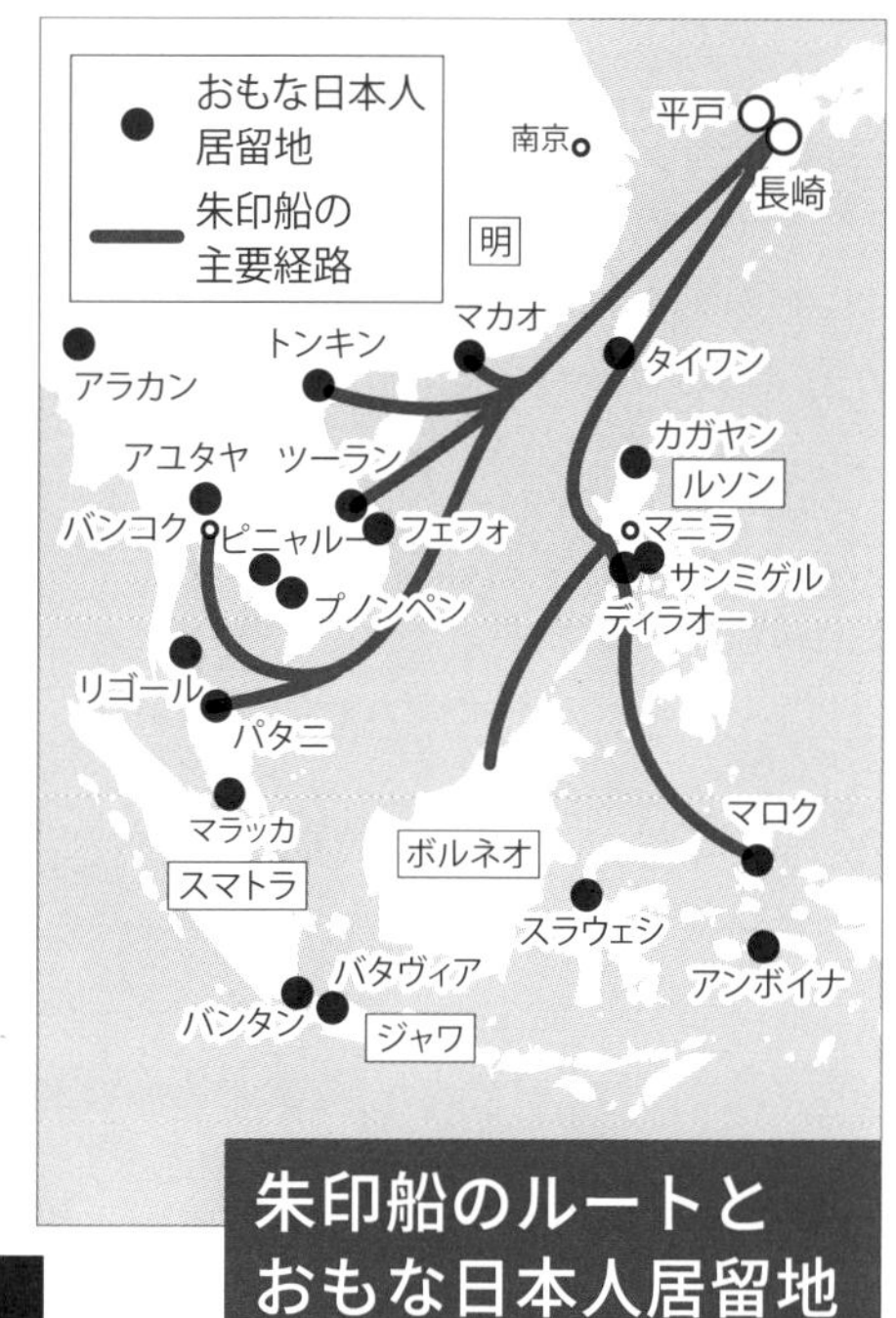

朱印船のルートとおもな日本人居留地

東インド会社の貿易

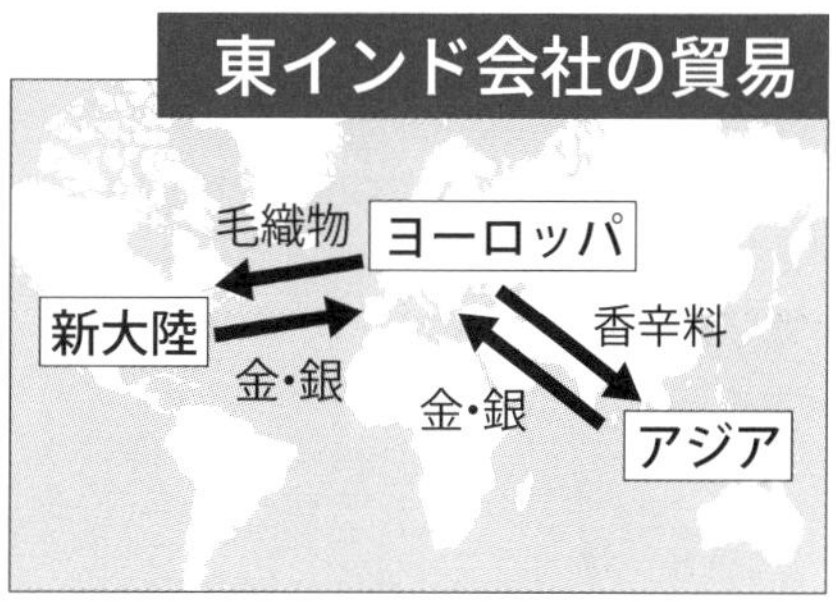

「オランダのもっとも貴重な宝石」としてジャワやスマトラの名が描かれた絵画。オランダのアジア進出の意欲がうかがえる。（ヨハン・ブラケンジーク）

ヨーロッパと連動した日本の動き

朱印船貿易のきっかけを作ったのは、ネーデルラント連邦共和国でした。

一般的にオランダという国名で知られるこの新国家は、オラニエ公ウィレムをリーダーとする独立運動により、1581年、スペインから独立しました。

誕生後、力を入れたのは商業振興で、首都のアムステルダムを中心にヨーロッパ屈指の商業国家へと成長し始めます。

イギリスが東インド会社を設立すると、オランダもアジアとの貿易拠点として東インド会社を設立しました。ヨーロッパ勢力の貿易拠点がアジアに築かれたことで、東南アジアの海洋交易はにぎわいました。

江戸時代初期における日本の東南アジア進出は、この経済圏参入のためになされました。

18世紀

イモで人々の命を救った東西の名君

東西２人の名君は、マウンダー極小期終結直後の危機に対して、「イモ」で対応しました。

徳川吉宗とフリードリヒ２世

18世紀、東西に２人の名君が誕生します。東は徳川吉宗。西はフリードリヒ２世です。

前者は徳川幕府第８代将軍です。質素倹約の奨励などを含む「享保の改革」を推進し、幕政の再建を実現しました。

後者はプロイセン王国の国王です。「君主は国家の第一の下僕である」と称して、**啓蒙専制君主**のひとりとなり、さらに軍備強化や産業育成も推進。自国をヨーロッパの強国に成長させました。

プロイセンの名君 フリードリヒ２世

（1712〜1786）

・大国オーストリアとの戦いに勝ち、国土を広げる
・フランスの啓蒙思想家たちと交流を密にする
・音楽芸術や著作活動にも情熱を燃やす

マウンダー極小期

（1645〜1715）

マウンダー極小期にはイギリスのテムズ川が完全に凍ったという。（エイブラハム・ホンディウス画・1684年）

啓蒙思想

オーストリア・ザクセン軍との戦いにのぞむプロイセン軍（レヒリング画）

プロイセンをヨーロッパの強国にする

世界史
プロイセン王のフリードリヒ2世がジャガイモで人々を救う

日本史
徳川吉宗がサツマイモで人々を救う

日本の名君 徳川吉宗

（1684〜1751）

・紀伊藩主・徳川光貞の第4子として誕生
・紀伊藩主を経て徳川幕府の第8代将軍に就任
・享保の改革により幕政を再建した中興の祖

マウンダー極小期（1645〜1715）

冷夏・雨・虫害・以前から続く食糧不足

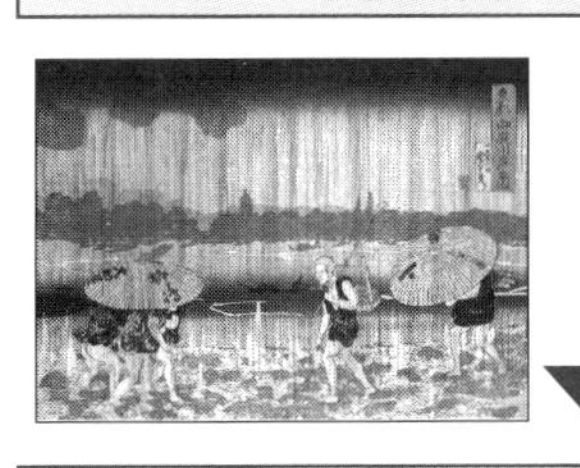

赤穂浪士の討ち入り（1703年）も寒冷化のおかげで成功したといわれる。（歌川国芳画「東都御厩川岸之図」「忠臣蔵十一段目夜討之図」）

享保の大飢饉

牛馬や犬なども食べたが、それでも餓死者が出たという。（小田切春江『凶荒図録』より）

サツマイモの栽培を推奨する

東西の人々がイモに救われる

徳川吉宗とフリードリヒ2世の在職期間は、マウンダー極小期と呼ばれる寒冷期終結直後と重なっています。気候不順のため農業に深刻な影響が出ていました。

ここで両人が着目したのが**「イモ」**でした。

吉宗は蘭学者の青木昆陽に**サツマイモ栽培**を研究させました。結果、サツマイモは関東でも栽培が可能になり、救荒食の代表格となるのです。

フリードリヒ2世が奨励したのは、南アメリカ大陸からもたらされ、**寒冷な気候でも栽培可能なジャガイモ**でした。強制栽培の勅命を出して、ジャガイモを増産したそうです。

東西の名君が同時期に、そろってイモの普及に関わっている点、歴史の面白味を感じます。

19世紀

絵画でつながっていた江戸期の日本とヨーロッパ

江戸時代の日本と同時期のヨーロッパの絵画は、互いに影響を与えあっていました。

プロイセンの「青」が使用された絵画
上：葛飾北斎「神奈川沖浪裏」（1831〜33年）
右：伊藤若冲「動植綵絵」内「群魚図」（部分）（1757〜66年）

ヨーロッパの絵具が変えた日本の絵画

「浮世絵」は江戸時代半ばに生まれた風俗画の新潮流です。題材は人気役者、美女、芝居小屋、遊里、風景…。電波による映像伝達のない時代にあって、映像発信メディアとしての機能も果たしたため、大人気となりました。

この浮世絵には、ひときわ目を引く沈み込むような深い青色が多用されています。

江戸時代に「ベロ」「ベロリン」と呼ばれた絵具で、本来の名を**「プルシアンブルー」**という合成化学顔料です。

1700年代の初頭、プロイセン王国（現在のドイツ）のベルリンで開発されました。

この舶来絵具流通以前、青色を出すには、植物を原料とした絵具が使われていました。しかし、出せるのは爽やかな青色のみ。それがベロにより、深く沈み込む、奥行きのある青色が出せるようになったのです。

この新絵具の特徴を最大限に活かしたのが、葛飾北斎・歌川広重によって確立された**「風景画」**というジャンルです。

このため浮世絵の深い青色

ヨーロッパで
日本美術ブームが
起こり絵画が進化する

世界史

日本史

プロイセン王国で
つくられた絵具を
使用した
傑作が描かれる

上：モネ「オンフルールのバヴォール街」（1864年頃）
右：歌川広重「名所江戸百景・猿わか町夜の景」（1856年）

左：モネ「ラ・ジャポネーズ」（1875年）
上：ゴッホ「タンギー爺さん」（1887年頃）。背後に浮世絵が描きこまれている。

は、「北斎ブルー」または「広重ブルー」と呼ばれています。

浮世絵が変えたヨーロッパの絵画

日本の美術は開国以前から、ヨーロッパに紹介されており、**ジャポニズム**というブームを巻き起こしていました。

なかでも浮世絵は意表をついた構図、ダイナミックな造形美、超リアリティ、独得な遠近感の表現などで、人々を驚嘆させていました。

ヨーロッパでは当時、絵画の表現技法は出尽くしていたため、浮世絵は新鮮な驚きをもって迎えられたのです。

ゴッホ、モネ、ゴーギャンといった画家たちは、絵画界に新しい流れを起こすべく、浮世絵を収集し、表現技法などを研究しました。結果、印象派絵画が誕生するのです。

19世紀

ナポレオンが日本の蘭学を発展させた

江戸時代に「蘭学」と呼ばれていた西洋の学問。発展をサポートしたのはナポレオンでした。

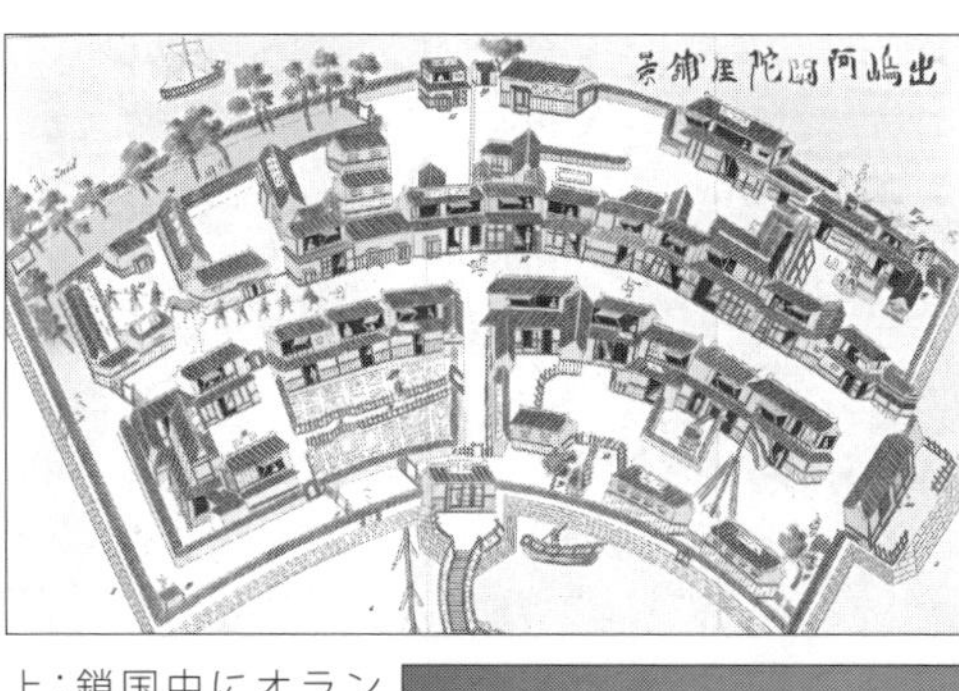

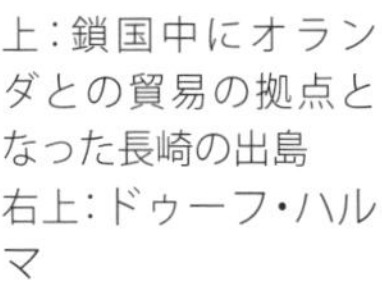

上：鎖国中にオランダとの貿易の拠点となった長崎の出島
右上：ドゥーフ・ハルマ

『通布字典』（京都外国語大学付属図書館所蔵）

オランダから伝わった西洋の知

江戸時代、日本はヨーロッパ諸国中、唯一通商関係を結ぶオランダから、西洋の情報を得ていました。このため西洋の知識を**「蘭学」**と呼びました。

蘭学にはオランダ語の修得が必要不可欠ですが、日本にはオランダ語修得に必要な辞書が不備なため、蘭学は長らく一部の人たちの学問でした。

この状況を一気に変えたのが、**『ドゥーフ・ハルマ（通布字典）』**です。

これは長崎にあるオランダ商館長のヘンドリック・ドゥーフが、17年という長期滞在中、文化交流の一環として、日本人オランダ通詞11人の協力のもと編纂した蘭和辞書です。

編纂（へんさん）はドゥーフの帰国後も日本人通詞達によって続けられ1833年に完成しました。

本格的な蘭和辞書の登場により、蘭学のすそ野が拡大する条件が、ようやく整うのです。

同書はオランダ語と蘭学の習得に不可欠の書物でした。蘭学者緒方洪庵の適塾では、学生たちが同書を奪い合うようにして蘭学を学んだそうです。

世界史

ナポレオンの登場によってオランダが一時独立を失う

日本史

オランダ人を通じて西洋の知識を取り込み優れた辞書を完成させる

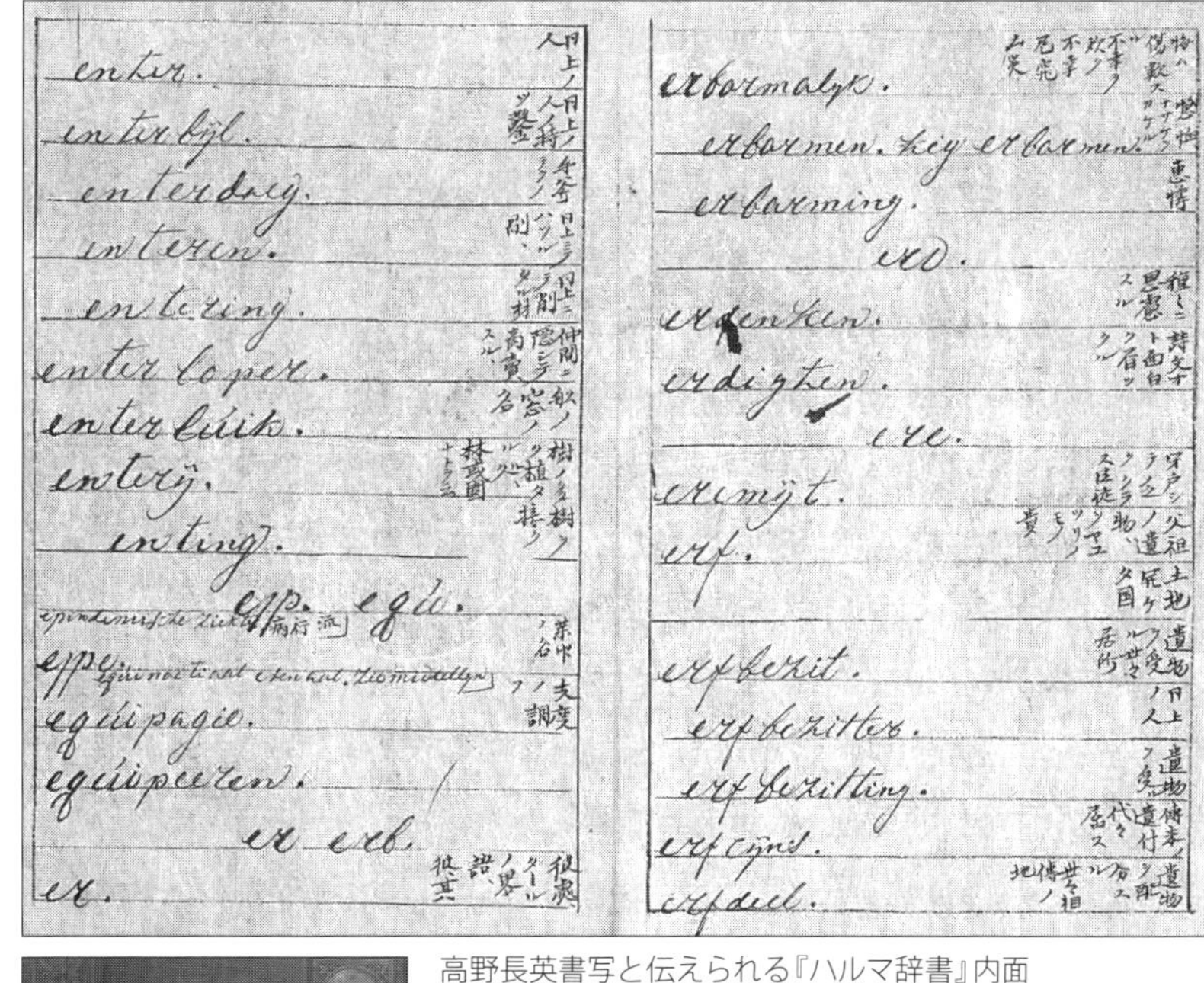

高野長英書写と伝えられる『ハルマ辞書』内面

ナポレオン（1769〜1821）
（ジャック＝ルイ・ダヴィッド画）

ナポレオン時代のヨーロッパ

フランス領
服属国
同盟国
（1812年頃）

デンマーク・ノルウェー王国
プロイセン王国
ワルシャワ大公国
フランス帝国
ライン同盟
オーストリア帝国
スペイン王国
ナポリ王国

多くの若者が西洋の知に触れる

オランダ商館長は1年交代が原則。にもかかわらずドゥーフは17年間も日本に滞在していました。

オランダは同時期、ナポレオンのフランス帝国に征服され、国家としての主権を失っていました。これによってオランダ船の来航が途絶え、ドゥーフは長崎で立往生したのです。

ドゥーフはオランダの主権回復後、帰国しました。

幕末維新期、日本が苦しみつつも西洋と対峙できたのは、**蘭学によって多くの若者が西洋の知性に触れていた**おかげでした。

この蘭学のすそ野拡大に貢献したのが『ドゥーフ・ハルマ』であり、同書はナポレオンがドゥーフを日本に釘づけにしたからこそ成立したのです。

19世紀

中国伝来の天然痘対策を進化させた日本の医師

1980年に根絶した天然痘。このいまわしい伝染病の駆逐に、江戸期の医師も奮闘しました。

伊達政宗も苦しんだ天然痘

天然痘ウイルスの体内侵入によって発症する伝染病を「天然痘」と呼びます。

40度前後の高熱→発疹発生→水疱→膿疱と推移し、膿疱が乾いたころ回復します。老若男女を問わず、虚弱体質の人は命を落としました。

運よく助かっても膿胞の跡が残り、顔はいわゆる「あばた面」になってしまうため、その後の人生に影響を与える点で、じつに忌まわしい伝染病です。

戦国武将の伊達政宗が、天然痘によって片目を失い、コンプレックスに苛まれたのは、よく知られています。

天然痘対策としての**「種痘」**は、江戸時代の中ごろ、中国から伝来しました。

これは天然痘にかかった人の膿やかさぶたを、健康な人のからだに移植し、軽い天然痘を起こさせるものです。

天然痘に一度かかると、二度とかからないことを経験的に知ったうえでの対策です。

しかし、真正の天然痘を発生させてしまう危険もあるため、「人痘法」は普及しませんでした。

昔から続く天然痘の脅威

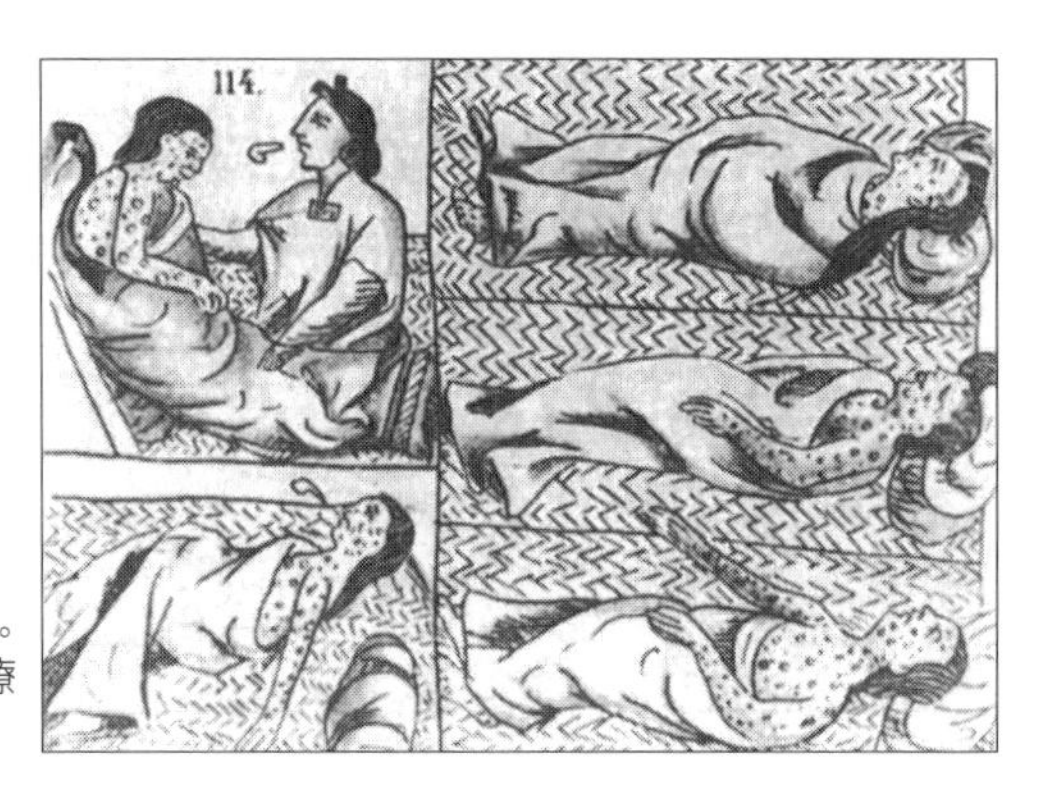

天然痘に苦しむアステカ人。右側ではパイプによる治療を試みている。

日本では「疱瘡神」として恐れられる

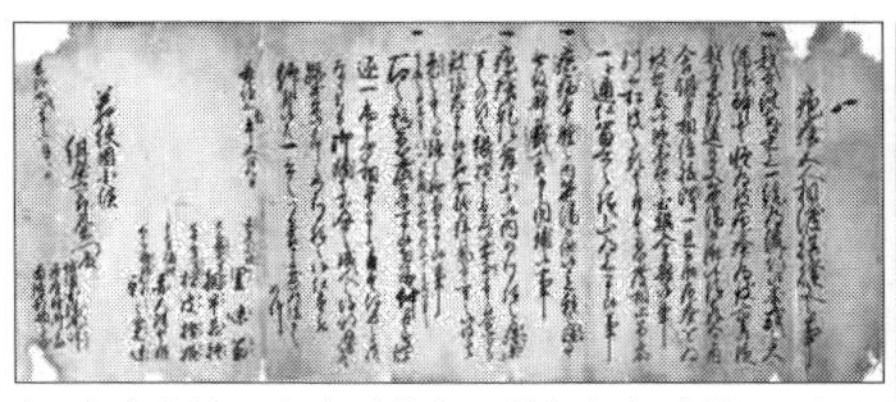

上：疱瘡よけのお守りとして使われた文書。5人の疱瘡神による詫び状という内容になっている。（「疱瘡神五人相渡申誤証文之事」）

右：赤い着物を着た女性として描かれた疱瘡神（鮮斎永濯画）

世界史

天然痘根絶のため
人痘法・牛痘法が
開発される

人痘法より安全な

牛痘法の開発

ジェンナーと思われる医師が乳しぼりの女性たちの牛痘を観察する様子

日本史

江戸時代から
国内に伝わっていた
医療技術を進化させ
普及させる

人痘法より安全な牛痘法が日本に伝来する

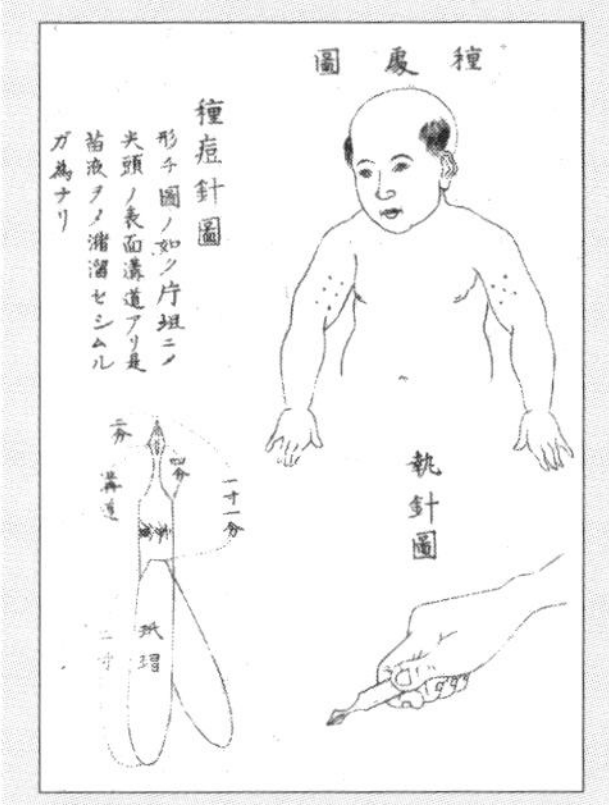

上：牛痘接種の説明図（『牛痘小考』より）　下：「種痘之図」

〈主な種痘所〉

除痘館
大坂で「適々斎塾」を開いていた緒方洪庵が設立

種痘所
佐賀藩医・伊東玄朴など蘭方医師たちが設立。幕府直営となり「西洋医学所」と改称。東京大学医学部の前身となる

有信堂
「牛痘接種の祖」と呼ばれる楢林宗建の兄・栄建が設立

（上から緒方洪庵・伊東玄朴・楢林宗建）

WHOによる天然痘根絶宣言（1980）

日本の医師たちの連携で終結する

江戸時代後期に入ると、イギリスのエドワード・ジェンナーが開発した、**「牛痘（ぎゅうとう）法」**が伝来します。

牛の天然痘の膿やかさぶたを健康な人のからだに移植し、軽い天然痘を起こさせるのです。

人痘による種痘よりも安全であるため、日本の医師はこれをすぐ採用します。

牛痘法は佐賀藩での成功後、幕府や諸藩に採用されます。以後、時代を通じて進化・徹底され、１９５５年の患者発生を最後に、天然痘は日本列島から駆逐されました。

１９８０年には、ＷＨＯ（世界保健機関）が天然痘の根絶を宣言します。牛痘法の発明以来、長期間にわたる種痘により、人類対天然痘の戦いは終結したのです。

19世紀

欧米列強の外圧が伊能図を作らせた

江戸時代の後期に入ると、欧米勢力による外圧が高まり、日本は地形を知る必要に迫られました。

上：北方を攻撃したナジェージダ号
右：伊能忠敬
下：測量の様子が描かれた「地方測量之図」
（葛飾北斎画）

17年かけてつくられた地図

日本で初めての本格的地図**「大日本沿海輿地全図」**は、江戸時代後期、**伊能忠敬**（いのうただたか）によって作られました。「伊能図」とも呼ばれます。

地図製作のための測量は、徒歩によって行われました。伊能忠敬は17年という歳月をかけ、全国津々浦々（つつうらうら）を歩き回りました。

歩いた距離は地球の外周分といわれます。余りに精巧な出来ばえに、地図を見た外国人は仰天（ぎょうてん）したそうです。

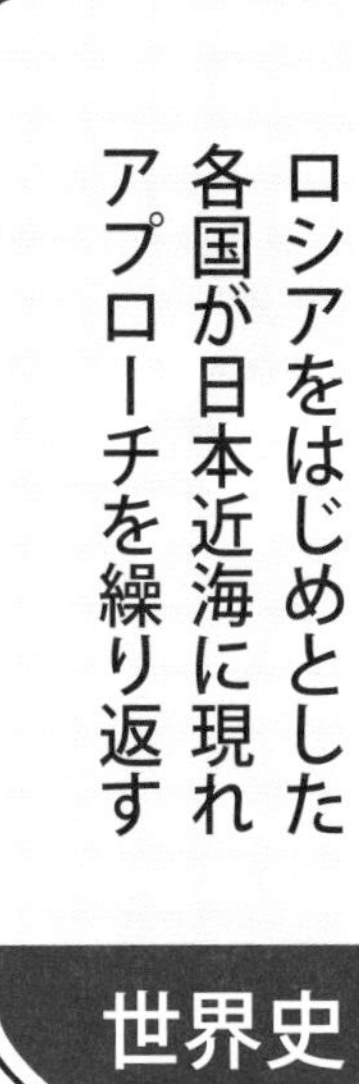

世界史

日本史

来たる脅威に備えて
測量をおこない
正確な日本地図を作る

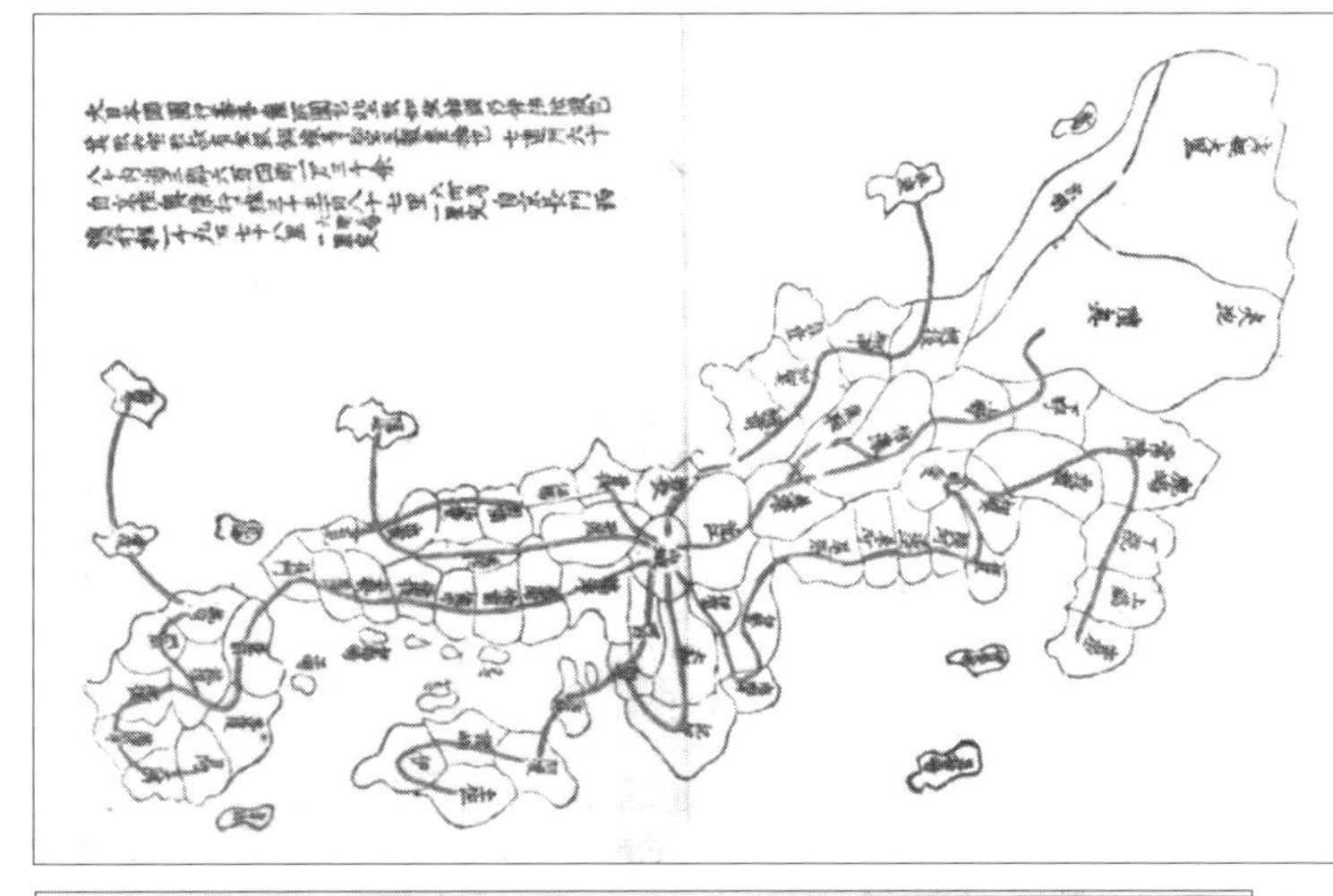

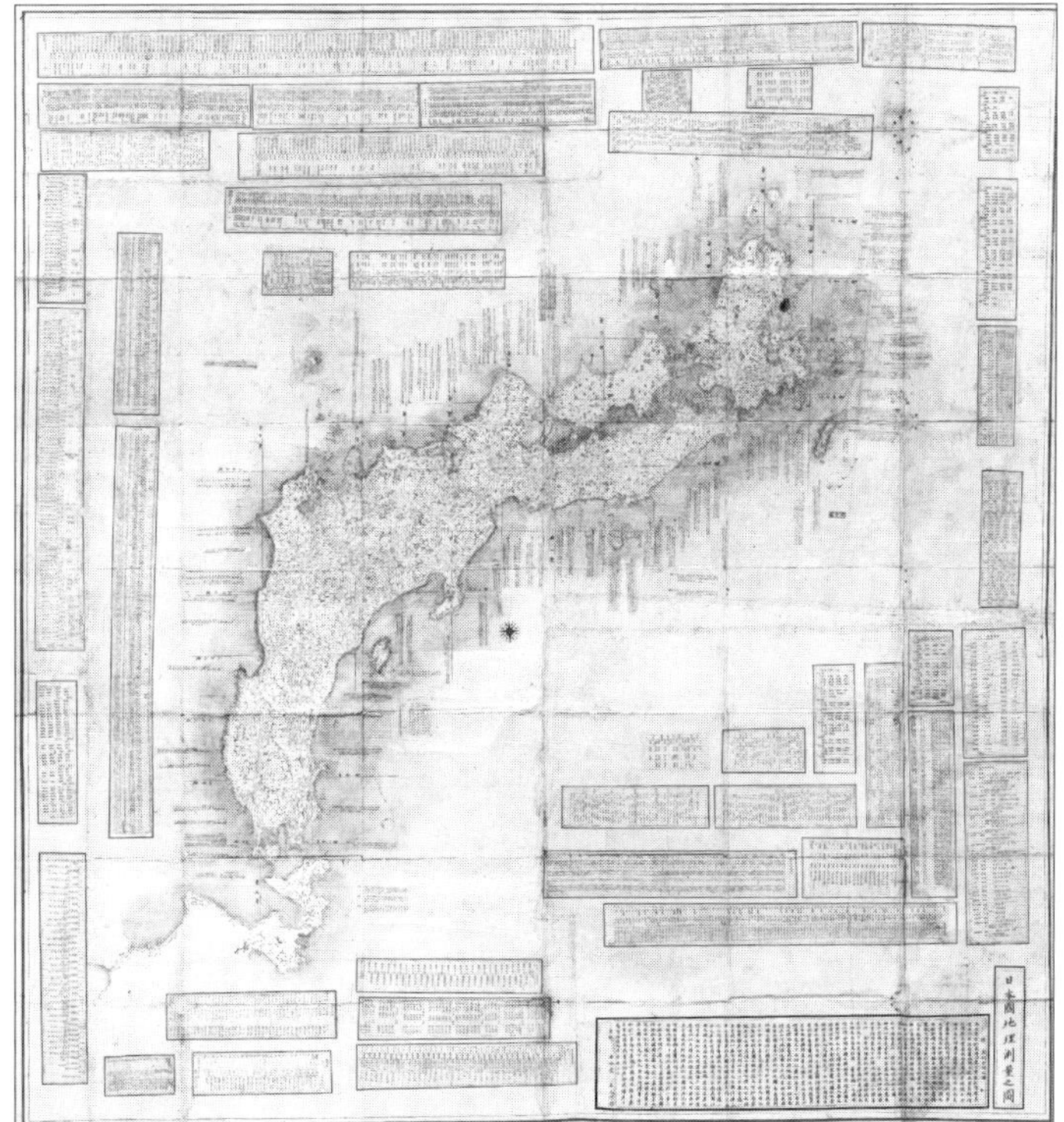

上：江戸時代中期まで利用されていたといわれる「行基図」
左：「日本国地理測量之図」

国を守るために地形を知る

伊能忠敬が日本地図を作成したのは、当時高まっていた外圧と関係があります。

19世紀に入ると日本は、欧米諸国から開国と貿易を求めて執拗に接触されるようになります。

これは欧米世界が革命と戦争を経て、近代市民国家へと変貌し、産業革命による工業化の進展で、**世界規模での植民地争奪戦**が始まっていたためです。

こうした情勢に対応するためには、防衛力強化が急務でした。

この状況化で、自国の地形を知らないのは、じつに不利なことです。万が一、武力衝突に到っても、敵の上陸地点や拠点を正確に把握できないためです。

徳川幕府も、正確な地図の必要性を痛感。結果として伊能忠敬が、地球外周分を歩かされるのです。

19世紀

クジラの油を取りにきた欧米が日本を開国させた

日本が開国を余儀なくされた背景には、欧米の産業革命進展による鯨油の需要がありました。

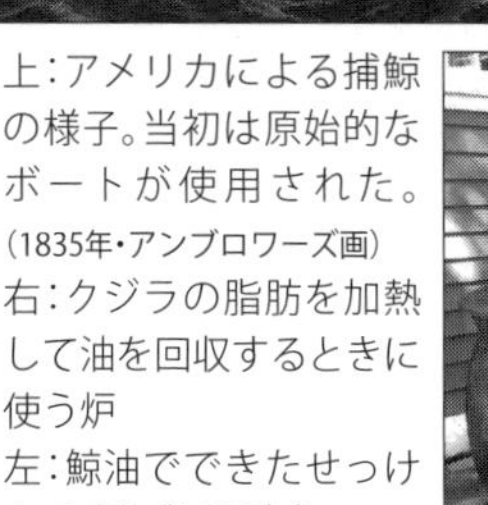

上：アメリカによる捕鯨の様子。当初は原始的なボートが使用された。（1835年・アンブロワーズ画）
右：クジラの脂肪を加熱して油を回収するときに使う炉
左：鯨油でできたせっけんの広告（1886年）

イギリス捕鯨員の上陸事件発生

1824年5月28日、水戸藩領の大津浜に、イギリスの捕鯨船乗組員12人が上陸する事件が起こります。

船内で壊血病が発生したため、小銃などと引き換えに新鮮な食糧を得るため、上陸してきたのです。

外国人の上陸を日本は禁じています。本来なら厳罰に処すべきところでしたが、日本の法を知らなかったのと、壊血病という理由があったため、必要な物資を与えて船に返しました。

このころ日本列島の太平洋沖合では、ヨーロッパやアメリカの捕鯨船が多数操業していました。食べるためではなく、**クジラの油**、「鯨油（げいゆ）」を得るためです。

ヨーロッパ諸国やアメリカが鯨油を必要としたのは、**産業革命**によるものでした。

産業革命とは、経済活動の中心が人力から、動力に移ったことを指します。

動力とは具体的には、**蒸気機関**を指します。これは最初、紡績機に利用され、機関車などにも採用され、生産性の向上と物流の円滑化を促しました。

アメリカが
鯨油獲得のための
補給地として
日本を開国させる

世界史

日本史

鎖国体制下に来航した
アメリカの黒船に
よって開国させられる

ワットがボールトンと設計した蒸気機関（1784年）

蒸気機関の発明などにより、産業構造や人々の労働環境は大きく変わった。

1854年に来日し、日米修好通商条約調印の舞台にもなった蒸気船ポーハタン号

クジラが日本を開国させた？

機械をスムーズに動かすには、潤滑油が必要になります。

ここで鯨油が着目されます。

産業革命が進展し、都市化と近代化が進むと、鯨油は固形石鹸、ダイナマイト、マーガリン、街灯用燃料の原料となり、ますます需要が増えていきました。

産業革命初期、捕鯨（ほげい）の中心は大西洋でしたが、進展期に入ると太平洋に移行します。

大量の鯨油を得続けるためには、適当な**補給基地**が必要になります。その必要性をもっとも痛感していたのが**アメリカ**でした。

広大な国土を有するアメリカには、多くの人々が移住し、工業化・近代化・都市化が急速に進んでいました。さらなる発展のためにも、大量の鯨油が必要だったのです。

1840年代には、約100隻の捕鯨船が、日本の太平洋沖で操業していました。アメリカにとって、日本列島内に捕鯨船の補給基地を確保することは、不可欠のこととなりました。

当時の日本は、徳川幕藩体制のもと、外交を極端に制限した「鎖国」体制下にありました。

アメリカは砲艦外交で、日本をむりやり開国させます。その目的のなかでも、捕鯨船に対する食糧と飲料水の供給が、重要な位置を占めていました。

欧米の産業革命進展が、大量の鯨油を必要とし、結果として日本が開国を余儀なくされたのです。

19世紀

南北戦争のおかげで日本は独立国でいられた

アメリカの南北戦争は、同国にとっては不幸な出来事でしたが、幕末日本には僥倖となりました。

南北戦争（1861〜65）		
アメリカ合衆国軍（北部23州）		アメリカ連合国軍（南部11州）
エイブラハム・リンカーン	VS.	ジェファーソン・デイヴィス
・工業の発展と自由貿易を求める ・奴隷制に反対		・黒人奴隷の労働ありきのプランテーション経営 ・保護貿易を求める

1862年の「ピーリッジの戦い」を描いた絵画

アメリカの強圧的な外交の変化

幕末日本が最初に国を開き、最初に通商条約を結んだ相手は、アメリカでした。これはアメリカが武力を背景とした砲艦外交に徹したためです。

しかし、その強硬な外交は、1861年を境に急激にトーンダウンします。アメリカ本国で**南北戦争**が起こったためです。

これは日本にとって幸運なことでした。アメリカが強圧的な砲艦外交を継続し、イギリス、フランス、ロシアなどがこれに追随していたら、幕末維新期は私たちが知る以上に悲惨なものとなっていたでしょう。

南北戦争の勃発によって、アメリカが日本外交の第一線から退いたことの幸運は、じつはこれだけにとどまりませんでした。物理的幸運ももたらすのです。

日本では大政奉還後、明治政府と旧幕府勢力のあいだで、武力衝突が起こります。戊辰戦争です。

この戦いの主役は、欧米の武器商人によってもたらされた洋式小銃でした。その数37万挺余。ゲベール銃からミニエー銃まで約70種類もありました。

世界史

アメリカで起こった南北戦争の影響で列強のパワーバランスが変わる

日本史

最新式武器を利用した新政府軍が戊辰戦争に勝利する

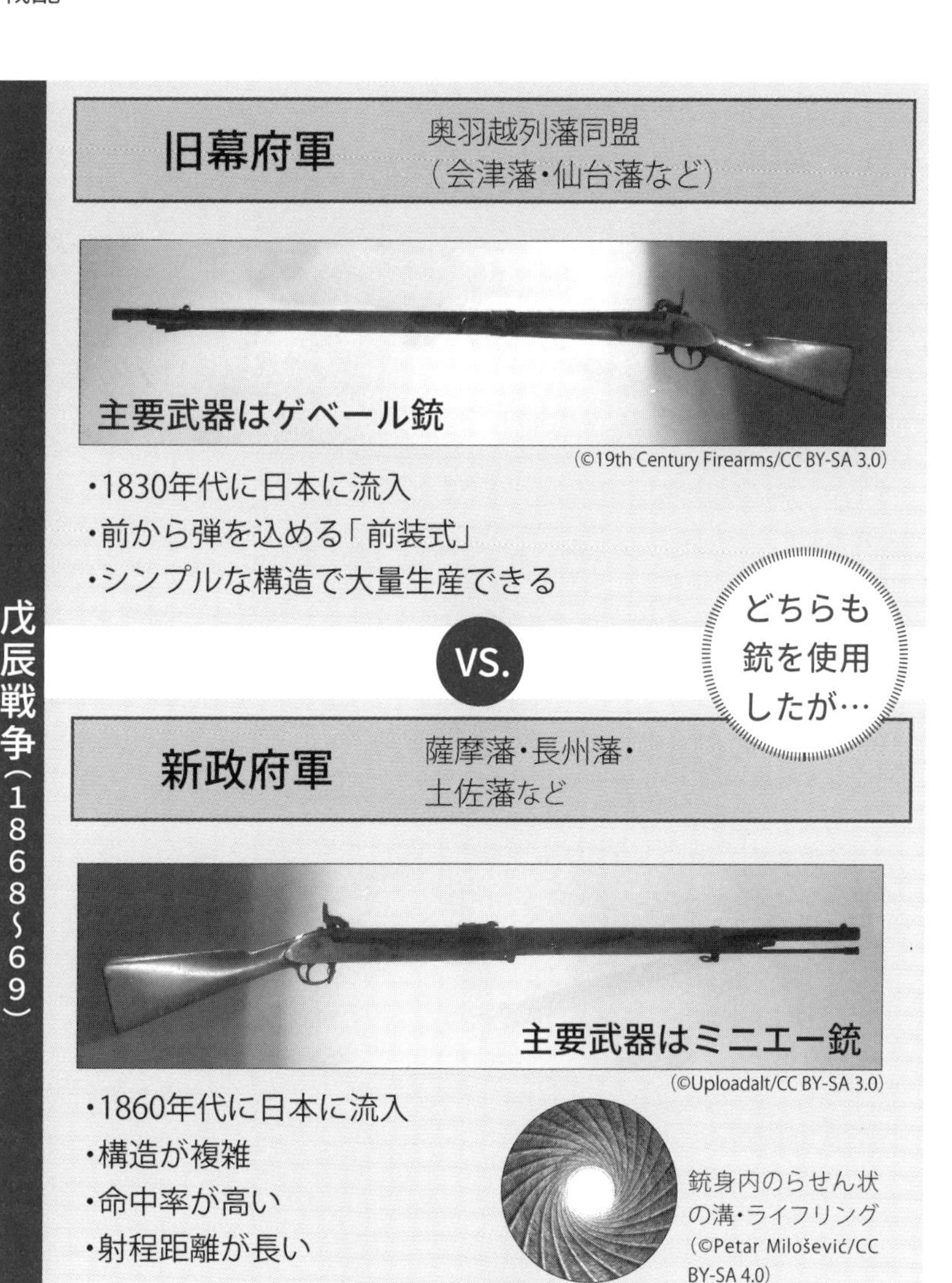

このうち**ミニエー銃**は、アメリカの南北戦争でも使用された、最新鋭の小銃です。

弾丸の装填方法こそ、前装式ですが、銃身内側にらせん状ライフリングが施されていたため、命中率や射程距離などが群を抜いていました。

欧米で余った銃が内政干渉を防いだ

ミニエー銃が日本に流れ込んだのは、アメリカで南北戦争が終わり、武器商人たちが大量の最新兵器を抱えたためでした。つまり、**余った武器在庫が日本で売りさばかれた**のです。

明治政府側は、この最新鋭小銃を標準装備していました。このため短期間で、旧幕府勢力を制圧。国内のダメージも最小限に抑えられたのです。

南北戦争はその意味でも、日本にとって幸運な出来事でした。

世界と日本の大まかな流れ④

世界史		日本史
イギリス・オランダ等が東インド会社を設立	1600	関ケ原の合戦
		ウィリアム・アダムス、ヤン・ヨーステンが来日
ビスカイノらが「金銀島探検報告」を提出		
中国で「清」がおこる		江戸幕府成立
中国で『東西洋考』が著される		第１回朝鮮通信使が到着
30年戦争		徳川家康がメキシコに使者を送る
ピューリタン革命		全国にキリスト教禁止令が出される
第１次イギリス=オランダ戦争		大坂冬の陣・夏の陣
名誉革命		明以外の船の入港を長崎・平戸に限定
		スペインとの国交を断絶
		第１次鎖国令の発令
		ポルトガル船の入港を禁止
		オランダ商館が長崎の出島に移転
	1700	
マウンダー極小期		マウンダー極小期
スペイン継承戦争		赤穂事件
オーストリア継承戦争		徳川吉宗による享保の改革
７年戦争		
アメリカ独立戦争		
フリードリヒ２世がプロイセン王に即位		
フランス革命		
第１次対仏大同盟結成		『解体新書』刊行
イギリスが現スリランカを併合		ロシアの使者が北海道に到着
ジェンナーが牛痘法を発表		
	1800	
ヘンドリック・ドゥーフがオランダ商館長に就任		伊能忠敬の測量開始
		間宮林蔵の蝦夷地の測量開始
ナポレオン・ボナパルトがフランス皇帝に即位		ロシア使節レザノフが来日
		ロシア軍が択捉島を攻撃
第３次対仏大同盟		幕府が全蝦夷地を直轄地にする
		葛飾北斎「富嶽三十六景」の作成開始
		フェートン号事件
		大津浜事件
オランダが主権を回復		
第１次イギリス=ビルマ戦争		歌川広重「東海道五十三次」の作成開始
イギリスで世界初の鉄道が開業		『ドゥーフ・ハルマ』完成
		日本近海で多数の捕鯨船が操業
アヘン戦争		
イギリスが南ビルマを併合		
		ペリーが浦賀沖に来航
クリミア戦争		
セポイの反乱		種痘所の設立
イギリス領インド帝国が成立		
アメリカ南北戦争		大政奉還

5章 日本の近代化と世界大戦

17〜19世紀

鎖国時代の幕藩体制が日本を近代化させた

著しく制限されていた江戸時代の外交と貿易が、急激な近代化に成功した要因でした。

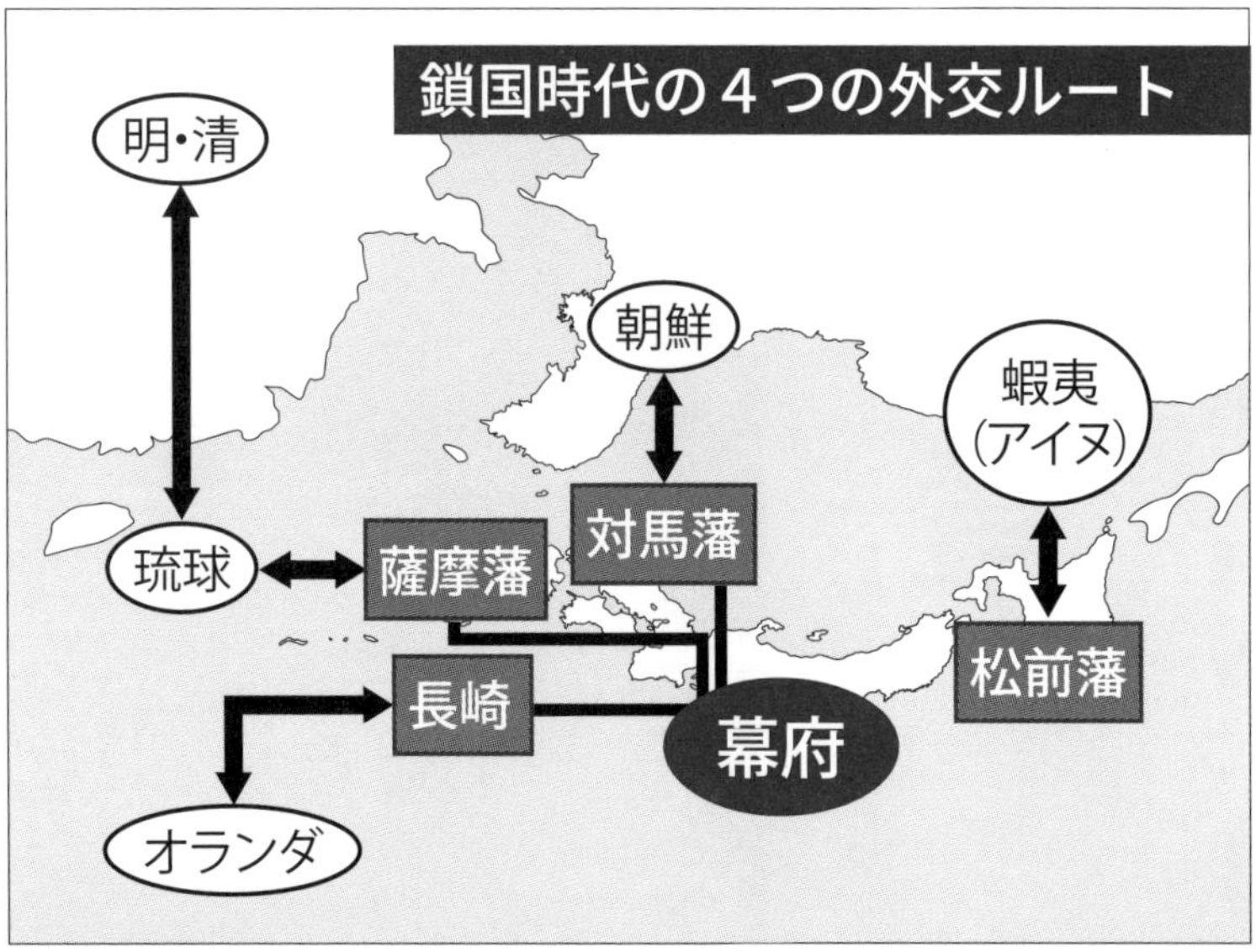

鎖国時代の４つの外交ルート

明・清
朝鮮
蝦夷(アイヌ)
琉球
薩摩藩
対馬藩
松前藩
長崎
幕府
オランダ

長崎	薩摩藩	対馬藩	松前藩
長崎奉行・出島での貿易	島津氏の案内による慶賀使等	宗氏の案内による朝鮮通信使等	松前氏による支配

鎖国中も海外の情報はつかんでいた幕府

江戸時代の外交体制を「鎖国」と呼びます。これは「国を鎖(さ)した」という意味です。

鎖国といっても、完全に国を鎖していた訳ではありません。図にあるように、**４つの外交ルート**を持っており、諸外国の情報もつかんでいました。

とくに長崎出島のオランダ商館長が提出する「オランダ風説書」を通じて幕府上層部は、フランス革命、ナポレオン登場、ペリー来航などの情報をつかんでいました。

外交と貿易を大幅に制限しているため、幕府は日本列島内で経済活動が完結する、完全自給自足体制を敷きます。

これにより木綿・砂糖・朝鮮ニンジンなど、これまで外国からの輸入に頼るしかなかった物産が、次々と国産化に成功します。

それらは幕府直轄地や藩の特産品として、日本国内に流通していきました。

これらの特産品の売買には、武士が携わりました。藩出入りの商人たちを使って売りさばき、藩の収入にあてたのです。

欧州諸国が当時軍事大国だった日本の征服をあきらめ撤退する

世界史

日本史

鎖国により自給自足の体制に入ったことで各藩の経営力が上がる

オランダ風説書の1ページ

文明開化の土台は整っていた

渋沢栄一

(1840〜1931)
武蔵国出身

・武蔵国の豪農の家に生まれる
・徳川慶喜に仕える
・パリ万博使節団として渡仏しヨーロッパ各国を訪問する

五代友厚

(1836〜1885)
薩摩藩出身

・薩摩藩臣の子として生まれる
・薩英戦争時に英軍の捕虜となる
・薩摩藩の派遣留学生団に参加し、諸国を視察する

明治維新・文明開化

幕藩体制 → 明治政府へ

渋沢栄一
・「商法会所」を設立する
・国立銀行頭取となる
・約500の企業を創業する

五代友厚
・新政府の外国事務局判事になる
・精錬技術を輸入し、兵庫県の神子畑鉱山を復活させる

藩経営で磨いていた経営手腕

ところで、**藩は独立採算制**でした。限られた土地で生産性をあげないといけないため、藩経営は本当に大変なものでした。

大政奉還で徳川幕藩体制が終わったとき、「藩経営の苦労からの解放だ！」と、喜んだ大名がかなりいたそうです。

さて、明治維新後、日本は「文明開化」という風潮のもと、急速に近代化していき、経済体制も**西洋型資本主義**へとスムーズに移行します。渋沢栄一や五代友厚など、元武士の近代的経営者も次々と登場しました。

明治維新後、日本経済が急速に近代化したのは、江戸時代、武士たちが藩経営を通じて、経営手腕のノウハウを蓄積していたからにほかなりません。その蓄積を可能にしたのが、鎖国と徳川幕藩体制だったのです。

19世紀

イギリスの称賛と文明開化を急いだ日本

急激な近代化を推進する明治の日本では、日本人が日本を否定することがありました。

出発前の岩倉使節団。左から木戸孝允、山口尚芳、和装の岩倉具視、伊藤博文、大久保利通。

帰国後にまげを落とし洋装した岩倉

文明開化の象徴といわれる旧開智学校の建物（右：じゅらいじゅらい／PIXTA）

ドイツ人医師ベルツが感じた不思議

明治維新後、日本は「欧米に追いつけ、追い越せ」をスローガンに、**猛烈な欧化政策**を推進します。

とくに岩倉具視を全権とする使節団が欧米視察の旅から帰国して以降、欧化政策はますますヒートアップしました。

この急激な欧化政策は、来日外国人たちには珍奇な現象に見えたようです。

1876年に来日したドイツ人医師エルヴィン・ベルツは、日記中で次のように首をかしげています。

「何と不思議なことには――現代の日本人は自分自身の過去についてては、もう何も知りたくないのです。（中略）『いや、何もかもすっかり野蛮なものでした〔言葉そのまま！〕』とわたしに言明したものがあるかと思うと、またあるものは、わたしが日本の歴史について質問したとき、きっぱりと『われわれには歴史はありません。われわれの歴史は今からやっと始まるのです』と断言しました」

懸命に自己否定をする日本人が、不思議でならないようです。

（『ベルツの日記』 トク・ベルツ編 菅沼竜太郎訳 岩波書店）

イギリス人が日本の農村風景を評価する

世界史

日本史

イギリス人の視線を考慮せずひたすら都市化と工業化を目指す

上：イザベラ・バード
左：イザベラ・バードの『日本奥地紀行』に描かれた日本の風景

草津の旅館「一井」にてくつろぐベルツ（左端）。ベルツは草津を気に入り、泉質についての調査も行っていた。（写真提供：ホテル一井）

文明開化がもたらした珍現象

　このような日本人の態度に対してベルツは、「日々の交際でひどく人の気持ちを不快にする現象」と感じつつも、「社会変革に求められる必要悪」と一定の理解は示しました。

　しかし、翌年元旦の光景に対しては怒りを爆発させたようです。

　日記中では「今日の機会に、西洋の風習の誤った模倣ぶり、しかも醜悪なまでの模倣ぶりが、いつの日よりもはっきりと暴露された」「ぶざまな燕尾服」「ぞんざいなズボン」「決して似合うことのないシルクハット」

「喜劇的な点では全く奇想天外ともいうべき姿」とこきおろしています。

　ただ、このベルツも和装に関しては賞賛しています。

　じつは明治期に来日した欧米人たちが着目したのは、急激に近代化する日本ではなく、「古き良き日本」でした。

　近代ツーリズムの祖トマス・クックは、日本の農村風景をこよなく愛し、日本を理想郷として紹介しました。

　女性旅行家のイザベラ・バードなどは、山形県米沢市の農村風景を「アジアのアルカディア（理想郷）」と激賞しています。

　日本人が近代化を急ぐあまり、自己の美点が見えていないのに対して、来日外国人が日本の美点を見つけてくれているのです。まさに文明開化がもたらした、ちぐはぐな現象でした。

20世紀

西郷隆盛が死んだから日露戦争は起こった？

幕末維新期を代表する英雄・西郷隆盛は、確固とした世界戦略の持ち主でした。

日英同盟の風刺画

遅すぎた日英同盟

1902年、日本とイギリスのあいだで**「日英同盟」**が結ばれます。同盟の目的はロシア対策です。

勢力を南下させ、朝鮮半島を伺うロシアは、日本にとって最大の脅威でした。ロシアの進出を抑えるには、大国と同盟を結んで威圧するしかありません。そのためロシアの勢力拡大を警戒するイギリスと手を組んだのです。

しかし、この2年後、日本はロシアと戦わざるを得なくなります。ロシアの極東地域での勢力が拡大し、抑止力とならなかったのです。同盟締結時期があまりに遅すぎました。

ところで、日英同盟が結ばれる28年も前に、「イギリスと同盟して、ロシアを抑えるべし」と考えていた人がいました。薩摩の**西郷隆盛**です。

西郷の案が活かされなかったのは、「明治六年の政変」によって下野してしまったためです。「征韓論」をめぐるこの政変の話は、長くなるので省略しますが、西郷の本当の狙いはロシアにありました。

極東地域でのロシアの勢力が拡大し世界のパワーバランスが崩れる

世界史

日本史

ロシアを阻止するためイギリスと組み日露戦争にのぞむ

征韓論をとなえる西郷（楊洲斎周延画）

西郷の世界戦略

北海道での防衛は無理

ロシアとの対決は必至

進出先を防衛拠点とする

朝鮮半島の問題を解決し、日本が沿海州方面に進出する

イギリスと連携して当たれば、ロシア怖れるに足らず

西郷が示した世界戦略

西郷がロシアを意識したのは、同国が江戸時代後期から、**北方の脅威**だったためです。

これに対して徳川幕府は、伊能忠敬（60ページ参照）に命じて、蝦夷地（現在の北海道）の地図を作らせるいっぽう、探検家たちに命じてさらに北の島嶼地域や、樺太の地形を探らせるなどの対応をしました。

とくに樺太と大陸が陸続きかどうかが気になったようでした。この結果、間宮林蔵によって「間宮海峡」が発見されるのです。

明治になっても、樺太を含む北方地域は帰属先が明確ではなく、日本とロシアの双方から人が入り混在状態でした。

日本人居留民に対して、ロシア兵が乱暴をする事案も頻繁に起こるようになり、ロシアはまさに潜在的脅威から、現実的な敵になりつつありました。

下野後の西郷は、鹿児島で子弟の教育に当たっている最中、図のような考えを示しています。

イギリスとの同盟を念頭においた、**西郷の世界戦略**です。

インドを植民地とするイギリスは、ロシアの中央アジア進出に神経をとがらせていました。敵の敵は味方の理論です。

西郷の戦略が採られていたら、本当の意味での抑止力となり、日露戦争は起こらなかったかも知れません。20世紀の極東情勢も違うものとなっていたでしょう。

20世紀

日露戦争の日本の勝利がアジアの解放を促した

日露戦争における日本の勝利は、大航海時代以来の世界支配構造を変えました。

ロシア帝国 vs. 大日本帝国

大国
白色人種
支配者

小国
有色人種
被支配者

ロシア→
←日本

フランスで描かれた風刺画（1904）

日露戦争

日本の勝利

植民地となっていた国々が
独立を目指すようになる

「有色人種でも白色人種に勝てる」

1904年2月に日露戦争が勃発する前、世界は「支配者白色人種・被支配者有色人種」という構造になっていました。

これは大航海時代の波に乗って世界に進出した白色人種が、有色人種の住む地域を植民地化したためです。

有色人種たちの反発は当然激しいものでした。しかし、市民革命で自国の政治体制を固め、産業革命による工業化で武力を充実させた白色人種に対してなす術はありません。有色人種たちは、白色人種の差別的・強圧的な支配に甘んじるしかなかったのです。

日露戦争での日本の勝利は、大航海時代以降の世界の支配構造に、大きなヒビを入れました。同時に有色人種たちに「我々でも白人に勝てる」と覚醒させるのです。

このため植民地化されている国々で、**民族運動がさかんになっていきます**。

民族運動の結社が林立していた中国の清朝では、孫文が結社の大同団結を実現。これにより「中国同盟会」が組織されます。

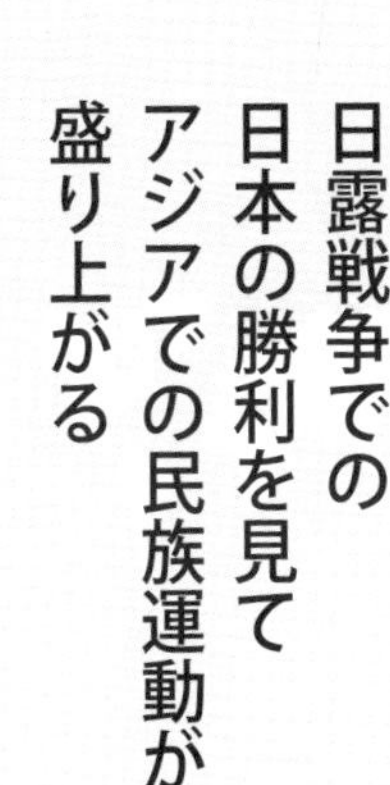

世界史

日本史

大国ロシアに
勝利したことで
アジア各国の人々の
意識を変える

左：トルコで起こった「青年トルコ革命」の成功を祝う人々（クリスティディス画）
右：辛亥革命により初代中華民国大総統となった孫文の像（雷山 / PIXTA）

オスマン帝国領
トルコ
絶対君主制
イラン
清王朝
中国
日本
イギリス領
インド
フランス領
インドシナ
（現ベトナム・ラオス・カンボジア）
オランダ領
インドネシア
アジアの勃興

左：インドの独立運動家ガンジーとのちの初代首相ネルーが語る様子
右：ベトナム人の引く車に乗るフランス人

アジア勃興のはじまり

フランス領インドシナ（現在のベトナム）では、ファン＝ボイ＝チャウが、ドンズー（東遊）運動を始めます。青少年を日本に留学させるのです。

インドでは、国民会議による反イギリス運動がさらに高揚し、1906年のカルカッタ大会で、「自治獲得」「英貨排斥」「民族教育」「国産品愛用」の4綱領が採択されました。

イランでは立憲革命、トルコでは青年トルコ革命が起こり、オランダの植民地インドネシアでも、サレカト＝イスラム（イスラム同盟）が組織されます。

大航海時代から続いてきた流れは、日本の日露戦争での勝利により、大きくターンを切りました。アジア地域は現在、目覚ましい勃興をしています。日露戦争はその端緒となりました。

20世紀

チンギス・ハンの大帝国が大東亜共栄圏を後押しした

大正時代の日本と世界史がつながることで、日本社会を動かす事件が起こります。

源義経

＝??

チンギス・ハン

国家主義者たちの主張

大川周明

チンギス・ハン（源義経）のように20世紀の日本人も武力で巨大な版図を掌握すべき

甘粕正彦

チンギス・ハン＝源義経？

大正時代、『成吉思汗ハ源義経也』という書籍が刊行され、日本中が騒然となります。**「源義経は奥州で死なず、中国大陸に逃れてチンギス・ハンとなった」**という内容です。

源義経は平安時代から鎌倉時代初期の武将。源氏の大将として平家を滅ぼしました。

しかし、異母兄の源頼朝との対立から、鎌倉政権の中枢を追われます。

このあと東北に逃げて奥州藤原氏の庇護下に入りますが、結局、奥州で殺されてしまいました。

最高の手柄を立てての悲運な死。日本史上でも最高の悲劇的人物であり、現在も使われる「判官びいき」という言葉に生きた証を留めています。

チンギス・ハンは世界的大帝国となったモンゴル帝国の基礎を築いた人物です。

両者に年代的重なりは多少ありますが、完全な妄説です。このため歴史学界は仰天し、『成吉思汗は源義経にあらず』というタイトルの臨時増刊雑誌を発刊して大反論をしました。

13世紀に
チンギス・ハンが
モンゴル帝国を
築き上げる

世界史

日本史

20世紀に
一部の国家主義者が
義経=チンギス・ハン
説をとなえる

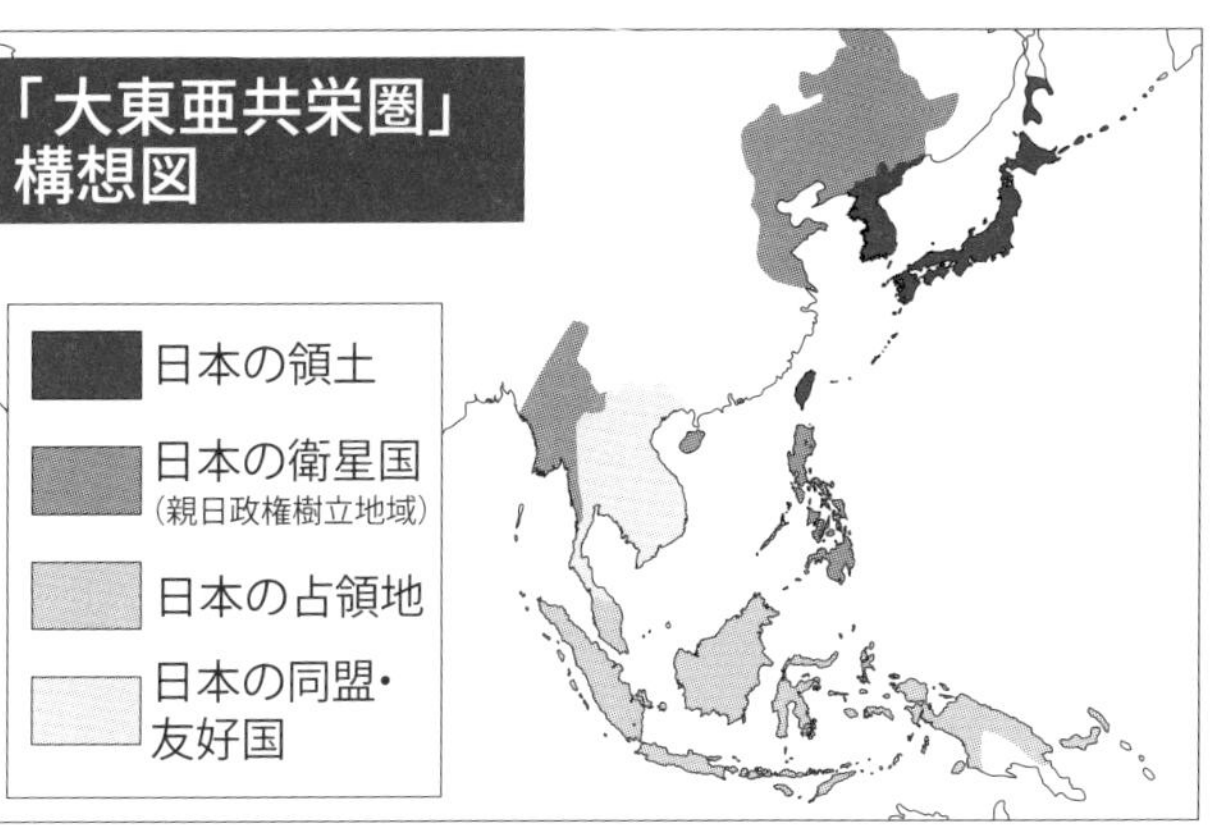

1943年に東京で開催された大東亜会議に参加した各国の代表。前列は左からビルマ（現在のミャンマー）、満州国、中華民国、日本、タイ、フィリピン、インドの代表。

国家主義者たちが義経生存説を支持する

しかし、このいっぽうで国家主義者と呼ばれる人々が、この説を高く評価しました。

代表格は大川周明（しゅうめい）と甘粕正彦（あまかす）でしょう。

前者は大正から昭和の初期にかけ、日本のファシズム運動をリードした人であり、太平洋戦争終結後に、A級戦犯に指定されています（発狂したため死刑は免除）。

後者は社会主義・無政府主義の大杉栄を惨殺した「甘粕事件」の犯人です。服役中の千葉刑務所内から、著者の小谷部全一郎に「義経の在天の霊もさぞかしご満悦」と記した手紙を差しだして激励しました。

このほかにも多くの**国家主義者**が、このトンデモ説を支持しました。

日本による大東亜共栄圏構築に好都合なためです。

チンギス・ハン（源義経）が、かつて大帝国を築いたように、20世紀の日本人も武力で巨大な版図を掌握すべきという論の理論的根拠となったのです。

太平洋戦争が勃発して、シンガポールが陥落すると、ラジオでは新作謡曲「義経即成吉思汗」が流されました。作詞を担当したのは、俳人・小説家として今日も知られる高浜虚子です。

チンギス・ハンと源義経。世界史と日本史が時空を超えてつながりあい、日本社会に大きな影響を与えた点は、歴史がときに、思わぬ展開をする好例です。

20世紀

GHQの刀狩りが日本刀を世界に広めた

太平洋戦争後に起こった〝昭和の刀狩り〟が、外国人が日本刀に親しむきっかけとなりました。

右：米軍による「刀狩り」。敗戦後、武器を供出する日本軍人。　上：船艇に武器を積み込む米兵。海洋投棄された刀も多かった。

接収した刀剣をリストにもとづいて詳細にチェックするアメリカ兵と日本軍将校

日本刀＝軍国日本の象徴？

第二次世界大戦が終結後、無条件降伏した日本は、１９４５年から１９５２年まで、ＧＨＱ（連合国軍最高司令官総司令部）の管理下に置かれます。

この管理下で推し進められたのが、日本の武装解除でした。

対象は軍隊ばかりでなく、民間にも及びました。銃刀法が整備されている今日と異なり、戦前の日本では民間での武器所有規制もゆるかったためです。

占領と治安維持のためにも、武器の摘発は必要でした。

このとき徹底的に摘発されたのが日本刀でした。これはＧＨＱが**日本刀＝日本の軍国主義の象徴**と考えたためです。

つまり、日本刀を放置しておいたら、軍国日本が復活する危険性が高いと判断したのです。

「全日本刀の処分」を掲げたこの摘発は、かつて豊臣秀吉が行った「刀狩り」になぞらえ、**〝昭和の刀狩り〟**と呼ばれました。

この刀狩りの期間中、多くの名刀が海外に流出しました。日本には不幸な出来事でしたが、外国人が日本刀に親しむ下地づくりになりました。

GHQによる
昭和の刀狩りにより
日本刀の魅力を知る

世界史

日本史

日本刀の破却や
海外流出を防ぐために
あらゆる手を尽くす

日本刀を脇に抱えたオーストラリア海軍のマックス・ジャーメイン。彼はのちにオーストラリア・サザビーズを創設した。

神事で使われる日本刀(papilio / PIXTA)

無償返還された名刀もある。以下は鹿児島県照国神社所蔵の国宝「国宗」。一時はアメリカの骨董店にあったというが、愛刀家のウォルター・A・コンプトン氏により発見・調査され、自主的に日本に返還された。(提供:朝日新聞社)

外国人を魅了する サムライ・ソード

次々摘発され、続々と海外に流出していく日本刀を前に、日本刀剣界は対応に動きました。

日本側は「美術品としての価値も高い」「家宝として伝えている家も多い」「神社の御神体もある」など、日本文化との深い関係を説明するいっぽう、日本刀を当局関係者にプレゼントするなどして、理解を求めました。

これよりGHQは「破却云々は専門家による審査の結果次第」と態度を軟化させます。

この決定に基づいて審査が行われ、国宝や重要文化財級の名刀は破却を免れ、現在も私たちの目に触れているのです。

日本刀は現在、「サムライ・ソード」の名称で、外国人にも親しまれています。敗戦を経てなお日本の魂は世界を魅了しているのです。

【著者紹介】森村宗冬（もりむら・むねふゆ）

1963年長野県安曇野市に生まれる。著述家。おもな著書に『義経伝説と日本人』（平凡社新書）、『歴史みちを歩く』（洋泉社）、『美しい日本の伝統色』（山川出版社）、『世界の海賊大図鑑全３巻』（ミネルヴァ書房）、『古墳のひみつ』（メイツ出版）などがある。日本経済新聞日曜版「古代ロマンに興奮　墳丘や石室を見学できる古墳10選」で、古墳選定者として関わった。

［主な参考文献］
『改訂版 詳説日本史研究』 佐藤信・五味文彦・高埜利彦・鳥海靖 編　山川出版社、『詳説世界史研究』 木下康彦・木村靖二・吉田寅 編　山川出版社、『「世界史」で読み解けば日本史がわかる』 神野正史 著　祥伝社、『世界史とつなげて学べ 超日本史』 茂木誠 著　KADOKAWA、『世界史が教えてくれる！あなたの知らない日本史』 かみゆ歴史編集部 編　辰巳出版、『歴史を学べばニュースのウラが見えてくる　世界史×日本史』 かみゆ歴史編集部 編　廣済堂出版、『逆転の日本史　【江戸時代編】』 洋泉社、『逆転の日本史　【古代史編】』 洋泉社、『逆転の日本史　日本人のルーツ　ここまでわかった！』 洋泉社、『日本神話の起源』 大林太良　角川書店、『浮世絵と古地図でたどる江戸の名所』 洋泉社、『画狂人 北斎の世界』 洋泉社、『地形と地理で読み解く古代史』別冊歴史ＲＥＡＬ　洋泉社、『詳説 日本史図録 第６版』山川出版社、『新詳 世界史図説 ニュービジュアル版』浜島書店

［図解］つなげてみれば超わかる
日本史×世界史

2022年10月13日第一刷

著者　森村宗冬

発行人　山田有司

発行所　株式会社　彩図社
東京都豊島区南大塚 3-24-4
ＭＴビル　〒170-0005
TEL：03-5985-8213　FAX：03-5985-8224

印刷所　シナノ印刷株式会社

URL　https://www.saiz.co.jp
https://twitter.com/saiz_sha

　ISBN978-4-8013-0603-5 C0021

本書は弊社より刊行した書籍『つなげてみれば超わかる 日本史×世界史』（2019年10月発行）をビジュアル版として再編集したものです。
（一部地図　Olli Turho/iStock）